SEAN ROSSITER & PAUL CARSON

JOUER AU

HOCKEY

À LA MANIÈRE DE LA LNH™

Broquet

97-B, Montée des Bouleaux
Saint-Constant, Qc Canada J5A 1A9
Tél. : 450-638-3338 Téléc. : 450-638-4338
Internet : www.broquet.qc.ca
Courriel : info@broquet.qc.ca

Au défunt père David Bauer, le créateur de l'entraînement scientifique au Canada, grand missionnaire et saint patron du hockey dans sa forme la plus pure.

Catalogage avant publication de Bibliothèque et Archives nationales du Québec et Bibliothèque et Archives Canada

Rossiter, Sean, 1946-

Jouer au hockey à la manière de la LNH

Traduction de l'éd. rév. de : Hockey the NHL way : the basics.

Pour les jeunes de 7 à 15 ans.

ISBN 978-2-89000-859-5

1. Hockey - Ouvrages pour la jeunesse. I. Carson, Paul, 1955- . II. Titre.

GV847.25.R6814 2007   j796.962'2   C2007-940664-5

Pour l'aide à la réalisation de son programme éditorial, l'éditeur remercie :
Le Gouvernement du Canada par l'entremise du Programme d'Aide au Développement de l'Industrie de l'Édition (PADIÉ) ; La Société de Développement des Entreprises Culturelles (SODEC) ; L'Association pour l'Exportation du Livre Canadien (AELC).
Le Gouvernement du Québec - Programme de crédit d'impôt pour l'édition de livres - Gestion SODEC.

Pour l'édition en langue anglaise :
© Greystone Books
Conception graphique : Peter Cocking et Katy Sigalet

Pour l'édition en langue française :
Photographie de la page couverture :
    Eliot J. Schechter/Getty images
Crédit photo page 1 : Bernard Préfontaine
Traduction et adaptation : Guillaume Labbé
Révision : Andrée Laprise, Marcel Broquet
Éditeur : Antoine Broquet
Directrice artistique : Brigit Levesque
Infographie : Josée Fortin

Copyright © Ottawa 2007
Broquet Inc.
Dépôt légal — Bibliothèque nationale du Québec
3ᵉ trimestre 2007

ISBN 978-2-89000-859-5

Imprimé en Chine

TABLE DES MATIÈRES

ILYA KOVALCHUK

Préface

Décembre 1982. Il est 6 heures et quart du matin, il fait noir, il fait froid. Je marche vers l'aréna de Granby. Je porte fièrement sur mon dos mon sac d'équipement… Il n'y a pas de roulettes en dessous ! Je m'en vais à l'entraînement matinal et je suis loin de l'aréna même si à pied ce n'est qu'à un kilomètre et demi.

Décembre 2002, 6 heures et quart du matin, il fait noir, il fait froid. Je roule vers l'aréna de Cowansville. Je transporte fièrement sur la banquette arrière mes fils Charles-Olivier, Pier-Gabriel et Jen-Maxim et dans le coffre de la voiture l'équipement de Pier-Gabriel, le chanceux du jour qui s'en va patiner avec ses copains de catégorie novice. Il est surexcité, il s'en va jouer au hockey. Je le suis tout autant, je vais le voir à l'œuvre. Les deux autres y trouvent aussi leur compte, ils vont déjeuner au restaurant de l'aréna. Lorsque je faisais le parcours à pieds pour aller jouer 20 ans plus tôt, j'arrivais bien éveillé à l'aréna. Aujourd'hui, c'est l'odeur de la zamboni et le bruit des lames qui brisent la glace qui m'extirpent des bras de Morphée !

Vous êtes grand comme Vincent Lecavalier, petit comme Martin St-Louis, vous avez le talent de Sidney Crosby, le tir frappé de Philippe Boucher, le physique de Guillaume Latendresse et le désir de vaincre de Steve Bégin. Vous ne savez pas si vous avez un peu ou beaucoup des talents de tous ceux-là mais vous croyez en vous, alors ce livre est pour vous ! Car il n'est pas de bon joueur qui ne prenne le temps d'apprendre, de comprendre et de développer les rudiments de base. Mais il n'est pas non plus de joueur de hockey qui ne possède en lui la soif d'apprendre et qui ne porte pas dans son cœur la passion de ce sport, notre sport national, LE HOCKEY !

Jean-Charles Lajoie

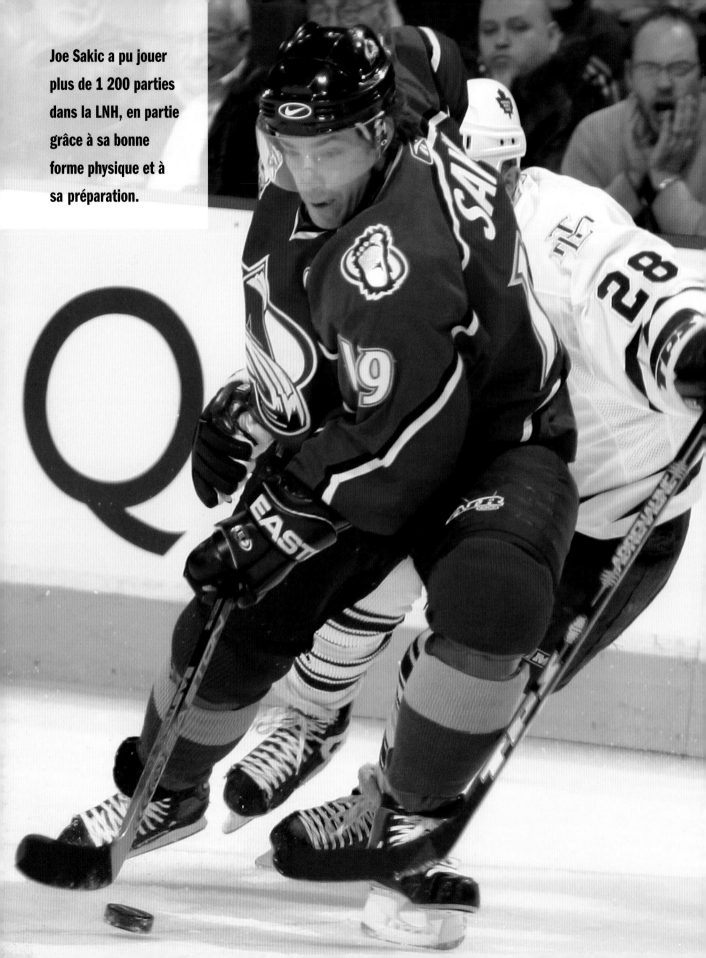

Joe Sakic a pu jouer plus de 1 200 parties dans la LNH, en partie grâce à sa bonne forme physique et à sa préparation.

FORME PHYSIQUE

SI VOUS NE SAVEZ PAS PATINER, vous ne pouvez pas jouer au hockey. Voilà pourquoi, si vous voulez devenir un meilleur joueur, il vous faudra patiner mieux. Et si vous voulez être un très bon patineur, il vous faudra être fort et en forme.

Les clubs de la LNH le savent et ils emploient des spécialistes en éducation physique qui supervisent l'entraînement de chaque joueur en dehors de la glace.

C'est la même chose pour vous. Pour devenir un patineur rapide, il n'y a qu'un moyen : augmenter la force de votre torse et des muscles qui y sont reliés comme ceux des cuisses. Une plus grande force vous permettra d'adopter une position plus basse sur la glace, de mieux profiter du tranchant des lames en même temps que de chaque poussée en puissance. Et souvenez-vous, vous n'avez pas besoin d'une patinoire pour devenir plus fort. N'importe quel endroit fera l'affaire.

Quelques accessoires d'exercice très simples peuvent vous aider à développer la force de votre centre musculaire de telle sorte que vous serez plus solide sur vos patins. Si votre équipe n'en possède pas, rendez-vous au gymnase local.

Le ballon suisse

Beaucoup de joueurs de hockey utilisent un ballon suisse, ce gros ballon de plastique qui les aide à faire leurs exercices abdominaux. Servez-vous-en pour surélever les jambes pendant que vous effectuez vos redressements. Ou encore étendez-vous sur le dos en maintenant vos pieds au sol. Les redressements renforcent les abdominaux, qui constituent la principale source de force d'un joueur de hockey.

La planche d'équilibre

Pour développer votre sens de l'équilibre, servez-vous d'une planche d'équilibre montée sur un pivot. L'idée est simple. Que vous soyez

Renforcer son centre musculaire

Faire des redressements assis sur un ballon suisse aide Francis à développer ses abdominaux.

Se tenir sur la planche d'équilibre développe l'équilibre et l'agilité d'Alexandre.

Jean-François amorce son lancer les coudes et les genoux fléchis, puis en pleine extension.

CONSEIL DE LA LNH
« Développez la force de votre centre musculaire ainsi que celle de vos jambes. C'est là que les Européens détiennent un avantage marqué : le bas de leur corps est tellement puissant. »
KEITH PRIMEAU

assis, debout ou les genoux pliés sur la planche, si vous la maintenez stable, toutes les parties de votre tronc vont se renforcer. Au fur et à mesure que votre sens de l'équilibre se développera, vous pourrez demeurer plus longtemps sur la planche.

Le medicine-ball

Ce lourd ballon en caoutchouc peut vous aider à accroître la force de votre torse et de vos abdominaux. Avec un partenaire, lancez-vous le ballon avec les deux mains placées à la hauteur de la poitrine. N'oubliez pas de plier les genoux et les coudes quand vous recevez le ballon.

L'entraînement hors glace

Pour améliorer votre jeu en puissance et en vitesse, vous avez besoin de force. Et c'est hors de la patinoire que vous allez développer cette force. Il faut vous entraîner durant la saison morte pour vous améliorer. Durant cette période, les exercices suivants vont vous aider à vous maintenir en forme.

Chaque joueur a des besoins très différents quand vient le temps de l'entraînement hors glace. Un joueur peut devoir améliorer la force de ses jambes, la vitesse de ses pieds ou la force du haut de son corps. Chaque partie de votre corps peut avoir besoin d'attentions spéciales, mais puisque vous n'avez pas d'entraîneur personnel pour vous préparer un programme d'entraînement, il importe d'établir un bon équilibre entre les activités de conditionnement physique et d'entraînement musculaire lorsque vous vous préparez pour la nouvelle saison de hockey.

Caroline saute rapidement et en force vers l'avant.

Élevez vos genoux jusqu'à la poitrine pour sauter par-dessus le banc. Pliez les genoux à l'impulsion et à la réception du saut.

Assurez-vous que la boîte est solide. Ne sautez pas plus haut que 45 cm (18 po).

Développer sa force

Les sauts

En sautant à grandes enjambées, vous faites travailler les muscles de vos jambes autant à l'impulsion qu'à la réception. Vous pouvez sauter vers l'avant ou latéralement à partir du sol, d'un banc ou d'un cheval de bois.

- Mettez-vous en équilibre sur la pointe des pieds, les genoux pliés.
- Donnez une poussée en lançant les bras en avant pour vous donner de la hauteur. Ramenez vos genoux sur la poitrine.
- La réception se fait les pieds bien à plat sur le sol.

Bon pour : allonger les enjambées et leur puissance.

L'agilité, c'est une bonne vitesse en ligne droite et de rapides changements de direction. Il est important au hockey, où les joueurs doivent s'arrêter, de repartir et pivoter très rapidement.

Sauts en puissance accroupis

Ces sauts développent la force des jambes.
- Prenez une position accroupie en faisant reposer votre poids sur les talons et en pliant les genoux à fond.
- Sur la pointe des pieds, donnez une poussée en transférant votre poids vers l'avant.
- Dans un mouvement bien uni, atterrissez en douce sur vos pieds tout en pliant les genoux.

Bon pour : l'équilibre en position accroupie.

Développer son agilité

Sauts latéraux : pliez fortement les genoux et répétez les sauts par-dessus les obstacles.

Le pied avant se déplace en premier en direction du sac d'équilibre tombant. C'est dans cette position que Francis attrape le sac.

Glissez latéralement entre deux pylônes. Effectuez chaque fois une flexion des genoux pour toucher au pylône. Répétez plusieurs fois.

Course latérale

Courir d'un côté à l'autre imite la technique du patinage au hockey.
- Placez 12 repères sur deux lignes distantes de 3 mètres. Alternez les repères pour que les deux lignes forment un zigzag.
- Courez jusqu'au premier repère. Pour vous rendre en tournant au deuxième, prenez appui sur le pied extérieur. Pliez le genou à fond et donnez une poussée en direction du repère suivant.
- Répétez jusqu'au dernier repère.

Bon pour : de plus longues enjambées et la puissance.

FORME PHYSIQUE
l'étirement

POUR FAIRE DU SPORT, vous devez être flexible. La flexibilité est importante parce qu'elle vous aidera à bien réussir et à prévenir les blessures. Au hockey, les joueurs les plus flexibles sont habituellement les gardiens de but. Si vous êtes gardien de but, une très bonne routine d'étirement est essentielle pour que votre corps le demeure.

L'étirement devrait se faire avant et après la partie. Les joueurs de hockey s'étireront avant une partie ; cela fait partie de leur routine d'échauffement. Vous devriez vous étirer pour vous échauffer avant les exercices, avant les parties et même avant les sessions d'entraînement hors glace. L'objectif est de préparer votre corps en vue de l'exercice à venir. Plus vous êtes préparé, plus vous serez heureux de jouer. Le risque de blessure est plus grand si votre corps n'est pas correctement préparé pour l'activité.

Il existe un principe de base avec n'importe quelle activité d'étirement : si vous avez mal, c'est que vous étirez trop vos muscles.

Flexion des genoux : les bras allongés sur les côtés, pieds bien au sol, pliez les genoux et maintenez cette position durant 45 secondes. *Bon pour :* les mollets.

Étirement du mollet : face au mur, un orteil appuyé sur le bas du mur, posez l'autre pied à un mètre derrière, la pointe du pied en avant. Appuyez votre tête et vos coudes relevés contre le mur. Changez de jambe. Maintenez la position 45 secondes. *Bon pour :* l'arrière des cuisses et les mollets.

Mouvement suivant : posez un genou à terre en tenant la jambe avant devant vous. Étirez votre jambe arrière le plus loin possible. Posez vos mains sur le sol en ligne avec le pied avant pour vous soutenir. Exercez une pression à partir de l'aine. Changez de côté. Maintenez la position 45 secondes pour chaque jambe. *Bon pour :* les tendons.

Étirement des quadriceps : assis, pliez une jambe sur le côté. Posez l'autre pied sur le genou de la jambe pliée en utilisant vos bras en arrière comme support. Penchez-vous en arrière pour étirer une jambe,

Mollets et tendons

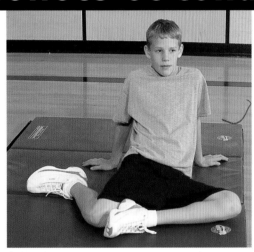

Étirement des quadriceps. Penchez-vous doucement vers l'avant puis vers l'arrière pour étirer vos quadriceps et les muscles du bas du dos.

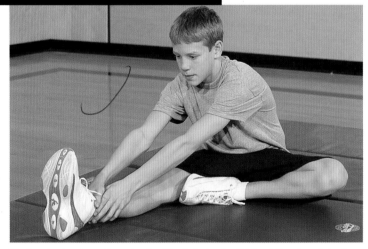

Flexion des tendons. Tenez la cheville de la jambe étirée et tirez la pointe du pied vers vous pour obtenir une meilleure flexion du mollet.

puis en avant pour l'autre. Changez de jambe. Maintenez durant 45 secondes pour chaque jambe. *Bon pour :* les quadriceps, les hanches et le bas du dos.

Flexion des tendons : en position assise, allongez une jambe devant vous. Appuyez le pied opposé sur l'intérieur de la cuisse de la jambe allongée. Penchez vers l'avant en tenant le dos bien droit. Changez de côté. Maintenez 45 secondes. *Bon pour :* les hanches et le bas du dos.

Flexion des hanches : en position assise, allongez une jambe devant vous. Ramenez l'autre jambe vers vous en tenant d'une main la cheville et de l'autre le genou. Tirez votre pied vers votre corps jusqu'à ce que vous ressentiez un léger étirement du muscle. Ne forcez pas. Changez de jambe. Tenez la position 30 secondes. *Bon pour :* les hanches et l'aine.

Flexion de l'aine : assis, écartez vos jambes autant que vous le pouvez. Penchez-vous vers l'avant en maintenant le dos le plus droit possible. Touchez le sol davant vous avec votre torse Tenez 30 secondes. *Bon pour :* l'aine, les tendons et le bas du dos.

Étirement de l'aine : assis, les jambes en avant et les genoux pliés, collez les plantes des pieds. Penchez-vous vers l'avant en gardant le dos le plus droit possible. Tenez 45 secondes. *Bon pour :* l'aine (en particulier chez les gardiens de but).

Torsion du torse : allongé sur le dos, les genoux repliés vers le haut, posez une jambe par-dessus l'autre à la hauteur du genou.

Flexion de l'aine. Gardez le dos droit quand vous vous penchez vers le sol.

Étirement de l'aine. Plantes des pieds l'une contre l'autre, ramenez vos pieds vers vous.

Torsion du torse. Tentez de toucher au sol avec le genou que vous avez croisé.

Dos et hanches

Tenez votre tête avec les mains. En maintenant les épaules au sol, poussez pour rejoindre le sol avec le genou croisé. Changez de côté. 45 secondes par jambe. *Bon pour :* les fessiers et le bas du dos.

L'ENTRAÎNEMENT CROISÉ consiste à développer des habiletés sportives de base en pratiquant une grande variété de sports. Pour être un bon joueur de hockey, vous devez être un bon athlète et les bons athlètes pratiquent un certain nombre de sports quand ils sont jeunes.

Il importe d'abord de s'amuser. Saviez-vous que le fait de pratiquer d'autres sports pourrait aussi améliorer votre performance au hockey ? Puisque plusieurs sports exigent le même type d'habiletés, vous pouvez vous améliorer comme joueur de hockey même quand vous jouez au soccer ou au basket-ball.

Comme la plupart des sportifs, les joueurs de hockey doivent avoir une bonne agilité, de l'équilibre et de la coordination. Voilà les trois qualités de base des sports actifs.

l'entraînement croisé

FORME PHYSIQUE

Le hockey est un jeu d'arrêts rapides, de départs explosifs et de virages soudains, et ces techniques nécessitent de l'agilité. Le fait de pratiquer le soccer ou le badminton peut vous permettre d'améliorer la vitesse de vos pieds, puisque chacun exige beaucoup de course, de départs, d'arrêts et de changements de direction. Chaque fois que vous exécutez ces mouvements, votre corps fortifie ses muscles en vue de faire des arrêts rapides, des départs explosifs et des virages soudains.

L'équilibre est très important pour les joueurs de hockey. Très peu de sports exigent que vous soyez en équilibre sur de très minces lames de patin. Vous devrez parfois équilibrer le poids de votre corps sur un pied, ce qui signifie que votre corps entier se tient en équilibre sur une lame de patin très mince. La planche à roulettes, le ski nautique ou le cyclisme aident à développer votre équilibre.

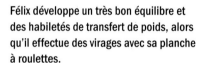

Félix s'exerce ici au maniement du bâton avec une balle et une échelle, ce qui l'aide à améliorer sa maîtrise de la rondelle.

Le soccer combine des mouvements qui amélioreront la forme physique, l'agilité, l'endurance et la coordination.

Félix développe un très bon équilibre et des habiletés de transfert de poids, alors qu'il effectue des virages avec sa planche à roulettes.

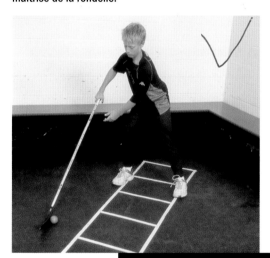

Agilité et équilibre

L'agilité et l'équilibre sont des habiletés sportives très importantes, mais la coordination est, des trois, la plus difficile à développer. Si vous êtes un bon joueur de hockey, c'est parce que vous pouvez accomplir un certain nombre de choses en même temps. Vous pouvez donc exécuter diverses techniques en les combinant. Si vous patinez dans un espace libre et qu'un coéquipier vous passe la rondelle, vous voulez recevoir la passe et maîtriser la rondelle tout en continuant à patiner. Vous voulez patiner vers le filet de l'adversaire et lancer la rondelle ou faire une passe à un coéquipier. Pour accomplir toutes ces tâches simultanément, vous devez développer votre coordination. Pour ce faire, le baseball ou la crosse sont d'excellents sports. Les habiletés requises pour courir, attraper, lancer ou frapper requièrent toutes de la coordination.

Coordination

Le baseball possède tous les ingrédients pour vous aider à développer un grand éventail de capacités sportives.

Le fait d'attraper une balle au sol exige de l'agilité, de l'équilibre et de la coordination.

Félix complète le jeu avec un tir précis au premier but.

Les habiletés que sont l'agilité, l'équilibre et la coordination se développeront naturellement en participant à une grande variété de sports amusants. C'est là une des choses les plus intéressantes de l'entraînement croisé : ces habiletés font partie de ces sports, ce qui fait que vous n'aurez même pas conscience d'être en train d'améliorer vos capacités sportives.

Le hockey devrait être amusant. Comme les vacances scolaires, celles du hockey sont nécessaires, afin que vous ayez toujours du plaisir à jouer. Si vous voulez exceller, alors exercer vos habiletés de hockey en pratiquant d'autres sports qui vous permettront d'atteindre un meilleur niveau. Le hockey devrait aussi être une façon de vous assurer d'être en très bonne forme physique. Vous aimez pratiquer des sports avec vos amis, alors apprenez à devenir un bon coéquipier.

Bien manger

Bien manger est la façon la plus simple d'améliorer votre performance sur la glace. Bien manger veut dire consommer chaque jour une grande variété d'aliments des quatre groupes alimentaires :

- Produits laitiers
- Viande (incluant le poisson et la volaille)
- Fruits et légumes
- Pains, céréales et grains

N'oubliez pas : vous dépensez entre 3000 et 6000 calories par jour en jouant au hockey, en incluant les exercices, l'entraînement en dehors de la glace et la mise en forme pour les parties. Cela signifie que vous devez manger au moins trois repas par jour et prendre une deuxième portion, en plus des collations. Vous devez aussi boire beaucoup de liquide, soit environ huit verres d'eau par jour.

Le plein d'énergie avant une partie se fait vingt-quatre heures avant celle-ci. Mangez des pâtes, du riz, du pain et des fruits pour maximiser votre taux de sucre dans le sang. Ces aliments constituent votre principale source d'énergie. Trois à quatre heures avant la partie, vous avez une dernière chance de manger sans utiliser l'énergie des aliments digérés. À ce stade, il est trop tard pour retirer un quelconque avantage associé à la nourriture. Mais si vous avez faim, vous pouvez manger un repas léger ; peut-être des protéines légères, comme du thon.

N'avalez rien d'autre que de l'eau dans la dernière heure précédant une partie et évitez les boissons sucrées et le chocolat, afin que votre niveau d'énergie ne chute pas en piqué à cause d'un surplus de sucre. Pendant la partie, prenez deux ou trois bonnes gorgées d'eau toutes les 15 minutes.

CONSEIL
Pour vos collations, mangez des fruits, ils sont faciles à digérer. Oubliez la malbouffe comme les croustilles, les nachos, les bonbons et les frites – ils contiennent beaucoup de gras et se digèrent difficilement.

Bien manger

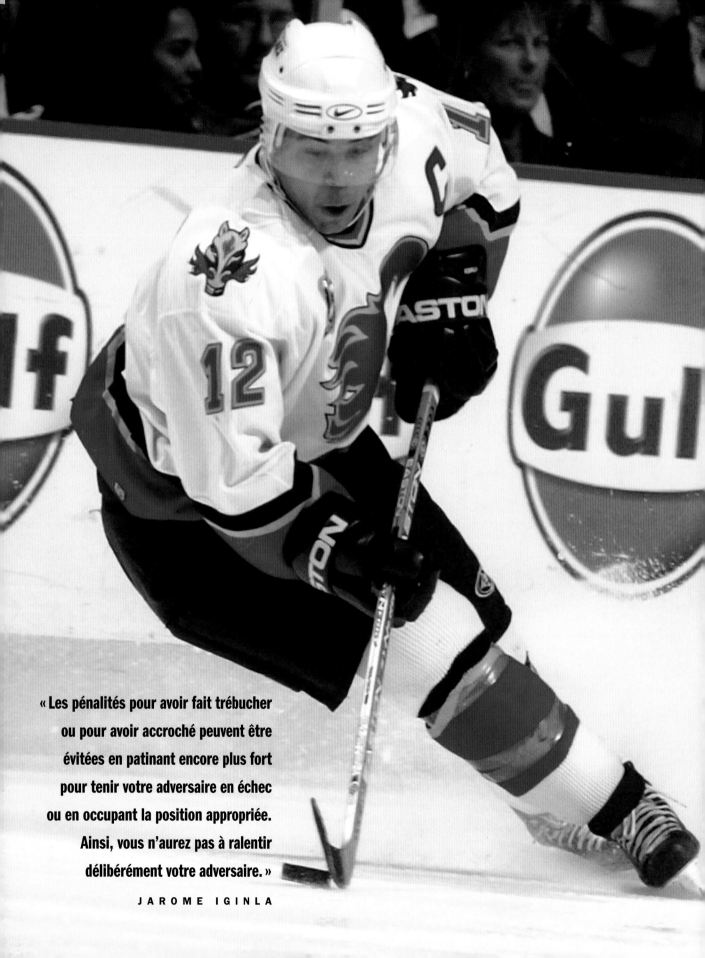

« Les pénalités pour avoir fait trébucher ou pour avoir accroché peuvent être évitées en patinant encore plus fort pour tenir votre adversaire en échec ou en occupant la position appropriée. Ainsi, vous n'aurez pas à ralentir délibérément votre adversaire. »

JAROME IGINLA

PATINER
PUISSANCE ET VITESSE

L E COUP DE PATIN est la technique la plus importante au hockey. Il importe peu d'avoir un tir foudroyant ou de jouer avec intensité le long des bandes si vous ne savez pas patiner. Rien n'est plus important.

C'est dans la force que réside le meilleur coup de patin. Plusieurs exercices ne requièrent pas d'équipement et ils peuvent être exécutés hors glace. Vous devez cependant les intégrer à votre routine d'exercices.

Puissance et flexibilité sont à souligner en premier lieu, mais le fait de comprendre comment fonctionnent vos patins et comment faire pour mieux les utiliser améliorera encore plus votre jeu.

Nous vous montrerons comment patiner avec force, effectuer des arrêts et décamper vite fait en quelques étapes faciles à suivre.

POUR COMMENCER, vous devez connaître les quatre règles de base très simples qui vous permettront de mieux patiner. Il est facile de les apprendre. Ce qui est compliqué, c'est de les adapter à votre style. Dans les pages qui suivent, nous appliquerons ces règles à chacun des mouvements que vous effectuez le plus souvent sur la glace. Voici les quatre règles :

■ **PREMIÈRE RÈGLE :** soyez toujours en forme. Bien patiner demande de la force et de la flexibilité.

■ **DEUXIÈME RÈGLE :** adoptez toujours une position basse et équilibrée sur vos patins. Pliez davantage vos genoux et vos chevilles.

■ **TROISIÈME RÈGLE :** sachez toujours où sont situés vos patins par rapport à votre corps et utilisez les carres de vos lames de patin.

■ **QUATRIÈME RÈGLE :** effectuez une extension complète de la jambe qui pousse à chaque enjambée. Hanche-genou-cheville-orteil. À chaque enjambée.

Appliquez ces quatre règles à chacun des aspects de la technique du patin. C'est ainsi que vous ferez vos plus grands progrès en tant que joueur de hockey.

Quatre règles de base
pour mieux patiner

Les premiers coups de patin

La rapidité est plus importante que la vitesse pure au hockey. Les premiers coups de patin détermineront habituellement qui atteindra les rondelles libres en premier. Ils devraient être courts, brusques et explosifs, comme un sprinteur qui quitte le bloc de départ.

- Gardez vos pieds rapprochés, orteils pointant vers l'extérieur.
- Plantez la partie arrière de vos lames dans la glace, penchez-vous vers l'avant et poussez. Le haut de votre corps devrait rester détendu. Le fait de balancer vos bras d'avant en arrière peut ajouter de la puissance à un départ rapide.
- Habituez-vous à toujours effectuer des départs rapides.
- Après quelques coups de patin, allongez vos enjambées.
- Poussez avec force à chaque coup afin que vos lames produisent une sorte de grincement dans la glace.

Allonger les enjambées

Plus votre enjambée sera longue, moins vous dépenserez d'énergie. Penchez-vous vers l'avant au niveau de la taille. Étirez chaque enjambée aussi loin que possible vers l'arrière. À la fin de votre

Guillaume a les talons rapprochés, les orteils pointant vers l'extérieur, le poids penché vers l'avant.

Il commence avec des petits coups brusques, poussant vers l'avant avec les carres intérieures.

Après cinq ou six petits coups brusques, il allonge les enjambées, poussant avec la jambe de l'enjambée.

Les départs

coup de patin en puissance, votre pied arrière devrait être autant que possible à angle droit par rapport à votre direction. Un petit mouvement du bout des orteils complète le coup.

Allongez chaque coup aussi loin que possible. Pendant ce temps, pliez la jambe avant – celle qui glisse – pour maintenir votre corps près de la glace. En pliant cette jambe, vous lui donnerez une poussée plus puissante lorsqu'elle deviendra celle de l'enjambée.

Le croisement des jambes

Servez-vous du croisement des jambes pour ajouter de la puissance et de la vitesse dans les virages. Répétez vos croisements en marchant sur la glace, en suivant le tracé d'un des cercles de mise au jeu. Soulevez simplement votre patin extérieur par-dessus votre patin intérieur, et transférez votre poids sur le nouveau patin intérieur.

Patinage arrière

Il est plus facile que vous le pensez de patiner vers l'arrière. Pour vous rassurer, commencez à vous exercer près de la bande. Vous pourrez vous y accrocher si vous craignez de tomber.

Commencez par pousser une hanche vers l'extérieur et faites un C avec le patin avant. Glissez sur l'autre patin. Continuez à dessiner des C dans la glace, un pied après l'autre. Vous patinez à reculons.

Vous ajouterez de la puissance en poussant fortement sur la carre intérieure de la lame à chaque mouvement.

Avant de commencer à patiner vers l'arrière, il faut vous assurer que vous avez la bonne position. Vos pieds doivent être bien écartés par rapport aux hanches et vos genoux bien pliés alors que vous êtes en position accroupie. Maintenez le dos droit et la tête bien relevée. En vous penchant légèrement vers l'avant, vous obtiendrez un meilleur équilibre.

Patinage arrière

Nicholas ouvre sa hanche gauche et commence à tracer un C dans la glace avec son patin gauche.

Une fois le C terminé, il est prêt à transférer son poids sur sa jambe droite.

Au moment où il commence à tracer un C avec son patin droit, il recule, bien en équilibre.

CONSEIL

Pour un meilleur équilibre si vous voulez changer de direction durant la glisse, penchez-vous vers l'avant dans la direction souhaitée.

Petits trucs de patinage

- Tenez-vous le plus bas possible. Poussez le plus fort possible avec votre jambe arrière.
- Vous devriez ressentir l'effort dans les muscles de vos cuisses. C'est de là que provient la puissance.
- Si vous recherchez plus de vitesse, tenez votre bâton d'une seule main, celle qui est en haut.

Tirer le chariot

Tirez un coéquipier alors que vous tenez tous les deux vos bâtons respectifs et que vous avancez avec de grands efforts sur la glace. Le coéquipier peut offrir plus de résistance en tournant les orteils vers l'intérieur, ou moins de résistance en les tenant parallèles.

Figure en 8

Pour travailler les croisements dans les deux directions, patinez depuis le centre de la glace vers un coin, passez derrière le filet, revenez au centre et dirigez-vous vers le coin opposé. Continuez autour du filet, revenez au centre de la glace et répétez.

Arrêts et départs

Personne n'aime faire des arrêts et des départs. Voici pourquoi vous devriez en faire.

L'entraînement au hockey est devenu une véritable science grâce aux Russes. Un entraîneur de la célèbre équipe de l'Armée rouge a même pris la peine de compter combien d'arrêts un joueur moyen effectue pendant une partie, soit entre 150 et 200! Un joueur actif peut faire entre sept et dix arrêts à chaque présence. Et après presque chaque arrêt, un départ suit.

Il n'y a aucun secret. Vous n'avez qu'à faire un peu plus d'arrêts et de départs pendant les exercices. Et faites un départ très rapide après chaque arrêt.

Exercices de patinage

Alexandre Ovechkin a compté cinquante-deux buts à sa première année dans la LNH et il est une redoutable menace offensive.

OFFENSIVE

EN NOUS IMAGINANT MEMBRE de la Ligue Nationale de Hockey, nous rêvons de marquer le but gagnant du dernier match de la coupe Stanley, de préférence en prolongation. Peu de joueurs rêvent de réaliser de grands arrêts en prolongation, et encore moins s'imaginer d'empêcher le but gagnant menant à la coupe grâce à un repli défensif opportun. Nous savons pourtant qu'il n'y a pas que le fait de marquer des buts qui compte.

Mais on parle des buts dans les faits saillants, et il faut en compter plus que l'adversaire pour remporter la victoire. Les buts sont simplement le résultat de plusieurs autres choses qui ont bien fonctionné. Ces autres choses – la maîtrise de la rondelle, les passes et les réceptions de passe, les tirs et même le fait de remporter les mises au jeu – constituent l'essence de ce chapitre.

AU HOCKEY, la technique la plus importante, après le patinage, est la maîtrise de la rondelle.

Pour être un joueur efficace, à l'avant comme à la défense, vous devez être en mesure de garder la rondelle et de la protéger de vos adversaires, de faire des passes tout comme d'en recevoir. Ces techniques doivent être maîtrisées à un point tel que vous ne devez ni regarder la rondelle sur votre bâton ni penser à ce que vous allez en faire.

Votre bâton n'est pas le seul outil mis à votre disposition pour manier les rondelles. Il est permis de saisir une rondelle au vol avec le gant tant et aussi longtemps que vous la laissez immédiatement tomber devant vous. De plus, les lames de vos patins sont presque aussi importantes que votre bâton pour maîtriser la rondelle. Apprenez à utiliser vos patins :

■ le long des bandes,

■ en recevant des passes à vos pieds et

■ en repoussant la rondelle vers la palette de votre bâton.

Vous devez manier des rondelles aussi souvent que possible afin d'améliorer votre coordination œil-main. Au cours d'une partie, vous n'aurez la rondelle en votre possession que pendant quelques secondes. La partie n'est donc pas le meilleur moment pour s'y exercer. Il y a plusieurs façons de s'entraîner hors de la glace.

maîtrise de la rondelle

OFFENSIVE

Le secret se trouve entre vos mains. Tenez votre bâton légèrement. Apprenez à pencher la palette au-dessus de la rondelle en la recouvrant partiellement, et transportez la rondelle avec le centre de la palette.

Tenez vos mains espacées de 20 à 30 centimètres (8 à 12 pouces) au sommet du bâton. La main inférieure saisit le bâton principalement avec les doigts et non avec la paume. Ne serrez pas le bâton. Les bons manieurs de rondelle savent qu'il est bon de raccourcir leur prise (en déplaçant les deux mains vers le bas du manche, se rapprochant ainsi de la rondelle) lorsqu'ils sont poursuivis.

La plupart du temps au hockey, bien manier la rondelle résulte d'autres techniques bien assimilées. Être en mesure de s'arrêter soudainement et de repartir à toute allure peut vous aider à conserver la possession de la rondelle. Le maniement de la rondelle avec les lames de vos patins vous permet d'en conserver la maîtrise

Nicholas nous montre la prise appropriée pour la maîtrise de la rondelle.

Vos patins peuvent être aussi utiles que votre bâton pour la maîtrise de la rondelle...

... quand vous les utilisez pour la déplacer vers votre bâton.

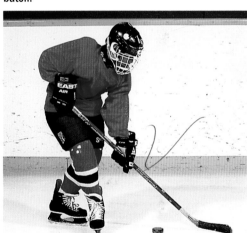
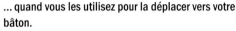

Secrets de la maîtrise de la rondelle

lorsque votre bâton est tenu en échec ou retenu. La vision du jeu et le fait de savoir où la rondelle ira (ou l'anticipation) sont d'autres techniques. Voyez-vous bien ce qui se passe autour de vous sur la glace ? Regardez-vous au-dessus de vos deux épaules lorsque vous patinez dans les coins pour en relancer la rondelle ? Poursuivez-vous la rondelle, ou savez-vous où elle ira afin de l'atteindre en premier ? Et savez-vous ce que vous allez faire avec la rondelle avant d'en prendre possession ?

Aucune habileté unique ne fonctionne seule au hockey. Plusieurs interviennent afin que vous puissiez maîtriser la rondelle.

Arrêts et départs

Un bon moyen de se défaire d'un adversaire est de recouvrir rapidement la rondelle avec la palette. Lorsqu'il s'arrête, vous recommencez à patiner. Lorsque vous arrêtez, pliez vos genoux et placez-vous en position accroupie. C'est une bonne position pour repartir de plus belle.

Une passe pour vous-même

Si vous êtes près de la bande et qu'un adversaire est dans votre trajectoire, lancez la rondelle vers la bande. Contournez ensuite l'adversaire et récupérez votre passe. La rondelle rebondira sur la bande selon l'angle que vous lui avez donné.

Trucs de maîtrise de la rondelle

Protégez la rondelle en positionnant votre corps entre la rondelle et l'adversaire.

Souvenez-vous : une passe pour vous-même sur la bande fera rebondir la rondelle selon l'angle que vous lui avez donné en la lançant.

CONSEIL

Ne maniez pas la rondelle avec votre bâton quand il n'y a pas d'adversaire près de vous. En échappée ou lorsque vous sortez la rondelle de votre territoire, poussez-la devant vous. Patinez ensuite avec puissance.

Utilisez votre corps pour protéger la rondelle

Quand un adversaire est près de vous, tentez toujours de placer votre corps entre lui et la rondelle. Surveillez son bâton, et déplacez le vôtre hors de votre chemin pour l'empêcher de saisir la rondelle.

Dans la zone offensive, recherchez l'ouverture

Le simple fait de conserver la maîtrise de la rondelle vous procurera des chances de marquer lorsque vous serez près du filet adverse. Ne vous débarrassez pas de la rondelle. Des adversaires viendront pour vous contrer, ce qui libérera vos coéquipiers à qui vous pourrez faire des passes.

S'amuser sans s'inquiéter

Ce n'est pas difficile de tenter de nouveaux mouvements lorsque vous avez un bâton de hockey entre les mains, par exemple lancer une tasse de café aplatie dans le coin supérieur du filet côté gant, ou une balle de ruban du côté rapproché. Essayez un bâton plus court pour un meilleur maniement. Apprenez à soulever la rondelle avec l'extrémité de votre palette. Amusez-vous tout en vous améliorant.

Votre imagination est votre seule limite. Les exercices vous aident à acquérir des habiletés. Commencez avec des exercices simples avant de passer aux plus difficiles. Faites d'abord des activités stationnaires, c'est-à-dire sans bouger vos pieds.

Un exercice stationnaire de type «en 8» permet de développer des techniques de maniement de la rondelle.

Félix maintient ses genoux pliés, ses mains confortablement espacées, pour une meilleure maîtrise du bâton.

Il transfère son poids pour conserver la maîtrise de la rondelle à la limite de sa portée.

S'entraîner à maîtriser la rondelle

La tête relevée, les yeux vers l'avant

Une bonne activité stationnaire sur la glace consiste à maîtriser la rondelle devant votre corps et de la déplacer autour d'un ou de plusieurs objets, par exemple en maniant le bâton en mode stationnaire autour de cônes en traçant un «8». Faites bien attention à la position de votre corps. L'espace entre vos pieds doit être le même que la largeur de vos épaules, vos genoux sont légèrement pliés, votre dos est droit et à la verticale. Le simple fait de positionner votre corps de cette façon vous aidera à relever la tête et à regarder vers l'avant.

Passer aux choses sérieuses

« C'est en forgeant qu'on devient forgeron. » Faites en sorte que vos exercices soient utiles. Souvenez-vous de garder tous ces trucs en tête lorsque vous répétéz sans cesse ces techniques de maîtrise de la rondelle. Ajoutez des variations à l'exercice en forme de 8 parce que la variété vous aidera à rester motivé et améliorera vos habiletés.

Lorsque vous serez à l'aise avec des exercices stationnaires de maniement de la rondelle, mettez-vous au défi en intégrant le patinage. Commencez à patiner avec la rondelle en ligne droite, en contournant des cônes, en patinant vers l'avant et vers l'arrière. Le maniement du bâton tout en patinant est plus difficile qu'en mode stationnaire. Le simple fait de commencer à patiner en maîtrisant la rondelle est plus difficile.

S'entraîner à maîtriser la rondelle

Félix maîtrise la rondelle avec l'intérieur de sa palette sans laisser son revers toucher la rondelle.

Avec beaucoup d'entraînement, il parvient à donner l'impression que c'est chose facile.

Dans ce mouvement, Félix se déplace autour du cône plus rapidement que la rondelle, ce qui donne l'illusion que la rondelle ne se déplace pas.

La ruelle arrière – votre propre aréna

Tous les bons joueurs s'entraînent en tout temps et partout : sur la glace et hors glace, dans la ruelle arrière ou sur le trottoir, en route vers l'école ou vers l'aréna. Les exercices de maîtrise de la rondelle que vous faites sur la glace, tant en mode stationnaire qu'en déplacement, fonctionneront aussi dans le vestiaire ou de retour à la maison. Si vous avez un partenaire, amusez-vous à rivaliser d'adresse avec lui, tout en améliorant vos habiletés.

Il s'agit de s'amuser. Peu de sports sont aussi amusants à apprendre que le hockey. Rien n'est plus plaisant que de manier la rondelle. C'est l'essence même du jeu.

OFFENSIVE

faire des passes

UN VIEUX DICTON AU HOCKEY dit que la rondelle se déplace plus rapidement que la vitesse à laquelle n'importe quel joueur peut patiner. Un autre dit aussi qu'une équipe qui fait de bonnes passes laisse la rondelle faire le travail. Les deux dictons sont vrais. Les adversaires qui font de bonnes passes vous font patiner avec énergie tout au long de la partie – à simplement poursuivre la rondelle.

Passer est une habileté qui fait de vous davantage qu'un joueur. Vous devenez membre d'une équipe. Il s'agit de la technique d'équipe la plus simple, et elle exige un passeur et un capteur. Capter une passe est souvent plus difficile que d'en faire une. Exercez-vous. Vous allez recevoir la rondelle bien plus souvent si vos coéquipiers savent que vous êtes un bon capteur de passes.

Quand vous avez la rondelle, souvenez-vous toujours que vous avez quatre coéquipiers à qui vous pouvez la passer. Faire des passes est une façon de conserver la maîtrise de la rondelle entre les cinq patineurs sur la glace.

Passer est l'une des techniques les plus faciles à répéter et à améliorer. La plupart des jeunes joueurs ne s'y entraînent pas assez. Si vous êtes un bon passeur, vous pouvez devenir un des meilleurs joueurs dans votre groupe d'âge. Les habiletés de passeur de Wayne Gretzky ont fait de lui le meilleur pointeur de l'histoire du hockey.

Il existe quatre types fondamentaux de passes au hockey. Dans chaque cas, assurez-vous que :

■ vos deux mains soient bien éloignées du corps pour que la palette de votre bâton fasse bien face à votre objectif jusqu'à la fin de l'extension ;

■ la rondelle repose bien contre la partie arrière de la palette.

Si vous trouvez que la main du haut est trop rapprochée de votre corps, c'est probablement parce que votre bâton est trop long ou que votre position est mauvaise.

Passe normale

C'est la façon la plus simple d'effectuer une passe : un simple balayage en direction de l'objectif. Si votre coéquipier est en mouvement, veillez à faire la passe bien en avant de lui. Ramenez la rondelle à la hauteur du pied arrière et laissez-la partir à la hauteur du pied avant. Terminez votre mouvement en gardant votre bâton bas et toujours en direction de l'objectif.

Faire des passes

Antoine fixe les yeux sur son coéquipier, la rondelle bien installée dans le creux de la palette et la main d'en haut éloignée de son corps. Les mains travaillent ensemble.

Il termine son mouvement en transférant son poids et en pointant son bâton vers la cible.

Passe du revers

On utilise cette passe quand le coéquipier visé patine du côté de votre revers. Fixez l'objectif du coin de l'œil. Tentez de conserver basse votre épaule la plus basse de telle sorte que la palette soit bien appuyée sur la glace. Ici aussi, les mains bougent en même temps. Le mouvement de la passe du revers fait en sorte que le haut de votre corps va pivoter pendant que l'épaule et la main la plus basse vont se redresser. Ce mouvement facilite la passe. Bien terminer en maintenant la palette face à la cible.

Passe soulevée

Pour éviter les bâtons sur la glace ou des joueurs qui s'étendent sur la glace entre vous et votre coéquipier, il faut soulever la rondelle légèrement. Utilisez vos poignets pour ramener la rondelle près de vous, puis, d'un mouvement sec au-dessus de la rondelle et au-dessous, projetez-la. N'exagérez pas, c'est une passe que vous effectuez, pas un tir. N'oubliez pas que la rondelle doit retomber à plat sur la glace avant de rejoindre votre cible.

Passe arrière

C'est la manière la plus rapide de s'échanger la rondelle, ce qui crée souvent une ouverture pour un des porteurs. Le passeur arrête la rondelle et la laisse tout simplement en arrière pour un équipier qui suit. Attention, assurez-vous que le joueur derrière vous soit bien un coéquipier. Si ce n'est pas le cas, l'équipe adverse profitera d'une échappée et vous patinerez dans la mauvaise direction.

Passe arrière : la main haute est éloignée du corps, l'épaule avant est abaissée, la rondelle est bien appuyée contre la palette.

Extension en souplesse. Poids sur le pied avant, le bâton pointant en direction de la cible. Surveillez la direction de la passe.

Faire des passes

Aide-mémoire pour faire des passes

- La bonne passe est généralement celle qui s'effectue le plus facilement. Plus la passe est longue, plus le risque d'erreur est grand.
- Les mains travaillent à l'unisson, pas séparément. La palette doit toujours faire face à la cible.
- Si vous êtes porteur de la rondelle, tentez d'établir un contact des yeux avec votre cible. Beaucoup de passes sont ratées parce que le receveur n'attendait pas la passe.

Une passe perdue provoque généralement un revirement. La prochaine fois que vous assisterez à un match, tentez de compter les passes qui ne sont pas complétées. Même dans la LNH, trop de joueurs renoncent quand la passe n'est pas parfaite.

Recevoir une passe est plus difficile que d'en faire. Exercez-vous à compléter des passes mal faites. Rondelle derrière vous, dans les patins, dans les airs, passe qui vient de l'arrière. Voilà des occasions de démontrer votre acharnement à porter la rondelle.

Si la passe est trop en avant : en tenant votre bâton d'une seule main, celle qui est en haut, tentez de rejoindre la rondelle. Votre portée sera plus grande. Arrêtez la rondelle avec votre bâton, puis prenez-en le contrôle.

Si la passe est derrière vous : il y a deux moyens de la récupérer. Vous pouvez arrêter ou encore, d'une seule main, tendre votre bâton vers l'arrière pour que la rondelle y rebondisse jusqu'à votre patin arrière. Avec le patin, poussez la rondelle vers le bâton que vous aurez repris à deux mains.

Recevoir des passes

Mauvaise passe. Guillaume pousse son bâton vers l'avant en le tenant d'une seule main. Il plie son genou avant pour allonger sa portée.

La rondelle déviera du patin arrière vers la palette du bâton.

C O N S E I L
Pour améliorer votre réception de passe, relevez les coudes quand la rondelle est proche, ce qui vous aidera à bien poser la palette du hockey sur la glace.

Si la passe est dans les patins : alignez vos patins dans la direction de la passe, la pointe tournée vers l'intérieur, et déviez la rondelle en avant vers votre bâton. Si la passe est en arrière, placez vos patins l'un derrière l'autre, ce qui crée une cible de 61 centimètres (2 pi). Rapprochez vos mains sur le bâton pour mieux contrôler la rondelle.

Si la rondelle est dans les airs : tentez de l'arrêter avec la paume sans refermer la main. Laissez la rondelle retomber devant vous et prenez-en le contrôle avec votre bâton que vous tenez fermement à deux mains. N'essayez pas d'intercepter les passes hautes avec votre bâton.

Aide-mémoire pour bien capter les passes

■ La clé pour la réception de passe est la capacité de se démarquer. Quand votre équipe a la rondelle, cherchez une ouverture.

■ Pensez à « attraper » et non à « arrêter » la rondelle quand vous recevez la passe. Relâchez votre prise. Allez vers la rondelle et amortissez l'impact.

■ Une bonne manière de compléter une passe consiste à rendre la tâche facile au passeur. Soyez visible. Essayez de traverser le champ de vision du passeur dans la zone centrale. Tenez votre bâton sur la glace pour offrir une bonne cible.

■ Parfois un long détour est le plus court chemin pour recevoir la rondelle. En faisant un demi-cercle vers un endroit pas trop

CONSEIL DE LA LNH
« Pour compléter une mauvaise passe, le secret consiste à utiliser tout le corps. Exercez-vous à récupérer la rondelle avec les patins ou à l'intercepter avec votre bâton dans les airs. »
PAUL KARIYA

Nicholas récupère une passe derrière lui. Avec son bâton, il ramène la rondelle vers lui...

...et la pousse en avant avec son patin...

...vers la palette tournée vers l'intérieur pour bien capter la rondelle. Cela demande de l'entraînement.

Recevoir des passes

éloigné, vous conserverez votre vitesse lorsque la rondelle arrivera et vous serez mieux placé pour la voir.

■ Récupérez une rondelle bondissante en plaçant votre patin derrière la palette. Maintenez votre bâton sur la glace en l'appuyant contre votre patin.

■ Ne renoncez pas quand les passes sont imprécises. Plus vous réussirez à en compléter, plus on dirigera la rondelle vers vous.

LA PARTIE LA PLUS AMUSANTE du jeu de hockey est le fait de lancer. Après tout, marquer des buts est la base du jeu. Vous pouvez cependant lancer avec force sans devenir un bon marqueur.

Il est plus important de lancer rapidement et de faire en sorte que votre tir atteigne le filet que le faire avec force. Joe Sakic sait qu'il est possible de prendre un gardien par surprise en lançant plus rapidement que ce dernier l'imagine.

La plupart des jeunes joueurs veulent développer un tir puissant, ce qui ne produira rien d'autre que du bruit s'il rate le filet. Travaillez d'abord la précision du tir. Vous pouvez vous exercer à lancer sur la glace comme hors glace. Tentez toujours de lancer à l'endroit visé. Lorsque vous pourrez atteindre cette cible régulièrement, vous pourrez travailler à décocher votre tir en vitesse. Tentez de lancer avec l'une ou l'autre de vos jambes devant vous, et alors que vous êtes à la moitié d'une enjambée.

En grandissant, vous développerez un tir puissant avec le temps. Pour l'instant, un tir précis vous donnera toujours une meilleure chance de marquer, et un tir rapide permettra à la rondelle de se retrouver dans le but. Il y a trois étapes pour décocher un bon tir. C'est un peu comme tirer au fusil. Pensez à ceci :

- Je regarde la cible.
- Je charge mon fusil – je positionne la rondelle dans une position de force.
- Je pèse sur la détente.

lancer

OFFENSIVE

Le tir du poignet est le plus fréquent. C'est un tir puissant et précis, qu'on peut exécuter immobile ou en mouvement.

La technique

Position du corps : soyez détendu. Tenez bien la rondelle au milieu de la palette. Vous la sentez. Fixez bien la cible.

Le tir : balayez le bâton vers l'avant. Au moment où il dépasse votre corps, pliez vos poignets vers l'arrière puis d'un mouvement sec, refermez-les. Le poignet du haut contrôle le bâton, celui du bas fournit la puissance et détermine la hauteur du tir.

L'extension : transférez votre poids vers le patin avant et terminez en extension votre mouvement en gardant la palette du hockey en direction de la cible. Pour un tir bas, le poignet inférieur doit se situer sur le dessus du bâton pendant que vous complétez le mouvement. Le bout de la palette doit pointer vers la cible.

> **CONSEIL DE LA LNH**
> Tirez rapidement. Si vous pouvez prendre le gardien par surprise, vous aurez une chance de marquer.
>
> **JOE SAKIC**

Pour un tir du poignet idéal, la rondelle doit être bien en arrière.

La poussée en puissance d'Antoine a pour effet de plier le bâton au moment du tir.

Terminez le mouvement en pointant la palette vers la cible et en roulant le poignet inférieur sur le bâton.

Le tir du poignet

Aide-mémoire pour le tir du poignet

- Travaillez avec les deux poignets. Ouvrez les poignets, puis refermez-les rapidement au moment du tir. Le pouce de la main haute tire le haut du bâton vers votre corps.
- Pour plus de puissance, transférez votre poids du patin arrière sur le patin avant.
- Le corps doit pivoter dans le sens du tir.
- Complétez le mouvement en pointant la palette vers la cible à la hauteur de tir que vous souhaitez. C'est le pouce de votre main inférieure qui guidera le bâton pour obtenir un tir bas.

La technique

Vous devriez attendre avant de vous exercer au tir frappé. C'est une manœuvre exigeante autant pour vous que pour le bâton. C'est un tir difficile à contrôler et l'élan arrière prend du temps. Mais personne ne veut attendre. Quelle satisfaction! Quelle puissance! Et quel bruit! Alors si vous décidez de vous y mettre, aussi bien le faire correctement.

Position du corps: la rondelle est à l'opposé de votre pied avant. Regardez-la plutôt que la cible. Gardez la tête basse durant tout le mouvement.

Les mains: de la main supérieure vous serrez bien le bâton. Glissez l'autre main vers le bas pendant l'élan arrière. Serrez cette main sur le bâton.

Le tir: durant l'élan avant, votre poids va se transférer automatiquement sur le patin avant. Mettez toute la force de vos épaules et de vos bras dans l'élan pendant que votre poids passe vers l'avant. La palette devrait atterrir sur la glace juste derrière la rondelle, que vous voulez frapper près du talon. Redressez les poignets au moment de l'impact.

Le tir frappé

Vos yeux fixent la rondelle. Inspirez. Gardez l'élan arrière bas pour un tir plus rapide.

Mettez tout votre poids dans le tir. Le contact avec la glace se fait quelques centimètres derrière la rondelle.

Poursuivez la rotation de votre corps. Tout le poids repose sur le patin avant. Visez la cible.

Complétez votre mouvement: allongez vos bras le plus possible vers l'avant. Mettez tout votre poids sur le patin avant pendant que vous orientez la palette vers la cible. La hauteur du tir dépendra de l'endroit où vous frapperez la rondelle. Plus la rondelle sera en avant de vous, plus le tir sera haut.

Aide-mémoire pour le tir frappé

- Où est la rondelle? Fixez-la bien.
- Gardez la tête basse jusqu'à ce que le mouvement soit complété.
- La palette atterrit sur la glace quelques centimètres devant la rondelle.

Le tir frappé court est le tir le plus rapide et sûrement l'un des plus difficiles à stopper pour un gardien de but. C'est aussi un tir qu'on peut effectuer près des patins parce qu'il nécessite peu d'élan. C'est une combinaison du tir du poignet et du tir frappé.

C'est le tir qui demande le plus d'entraînement. Exercez-vous autour d'un quart de cercle en tirant de tous les angles, à partir de votre coup droit à côté de votre patin avant jusqu'au devant du pied avant qui pointe vers l'extérieur. Expirez fortement pour obtenir une puissance explosive.

Ce tir surprend tout le monde. Même entouré de plusieurs joueurs vous pouvez l'effectuer. C'est un lancer difficile à apprendre mais qui est très efficace.

La technique

Position du corps : la rondelle peut se trouver n'importe où sur le côté de votre coup droit, même devant vous. Vous pouvez vous déplacer latéralement devant le filet. C'est aussi un très bon tir sur réception.

> **C O N S E I L**
> Pour conserver votre équilibre, pliez les genoux au moment de compléter le mouvement.

Tout le poids de Marika repose sur son patin intérieur.

Le tir est effectué devant le patin avant. Le gardien n'est pas prêt.

Le corps tourne pour augmenter la puissance. Voilà un tir frappé court dans les règles de l'art.

Le tir frappé court

Les mains : déposez la palette sur la glace. Gardez les poignets rigides durant le tir. Complétez avec une extension courte. Le point de contact est le centre de la palette. L'élan est court mais explosif.
Complétez votre mouvement : conservez votre équilibre. Beaucoup de joueurs tombent en arrière après le transfert de poids avant. Le patin arrière quitte souvent la glace pendant l'achèvement du mouvement. Prenez garde à la mise en échec.

C'est presque une arme secrète dans la LNH. Vincent Damphousse l'utilise comme beaucoup d'autres grands marqueurs. C'est le tir du revers. Adam Oates baisse sa prise sur le bâton pour le rendre plus efficace. Et pour Mark Messier, c'est l'arme favorite. Les palettes courbées ont presque fait disparaître le tir du revers, ce qui fait que les gardiens ne s'y attendent pas trop. Le mouvement du revers laisse croire au gardien que le tir sera haut ; or, les bons tireurs qui peuvent décocher des tirs du revers bas marquent souvent des buts.

La technique

La technique est la même que pour le tir du poignet, sauf que le tir est effectué de l'autre côté du corps. Il faut exécuter le même balayage, le même mouvement soudain des poignets, le même transfert de poids d'un patin sur l'autre, et compléter le mouvement en pleine extension.

Le tir du revers

Nicholas voit bien la cible du coin de l'œil.

La puissance est produite par le changement de position du haut du corps et le transfert de poids.

Travaillez en souplesse. Effectuez un tir bas en poursuivant le mouvement près de la glace.

Position du corps : pensez à baisser l'épaule avant pour que la palette repose à plat sur la glace.
Compléter : en terminant le mouvement près de la glace, le tir demeure bas.

Aide-mémoire pour le tir du revers

- Essayez-le, tout simplement. Essayer est déjà un grand pas.
- Utilisez votre corps. Commencez en abaissant votre épaule avant. Gardez la main du haut près du corps.
- Il ne faut pas soulever la rondelle, mais la pousser. Terminez le mouvement en tenant le bâton près de la glace.

les mises au jeu

GAGNER LES MISES AU JEU, c'est habituellement gagner la partie. S'il y a entre 50 et 60 mises au jeu dans une partie, alors les deux équipes ont autant d'occasions de s'emparer de la rondelle et de marquer.

Gagner la plupart des mises au jeu permet aussi de faire autre chose que marquer. Dans votre propre zone, cela donne la chance à votre équipe de faire un jeu sans risque en immobilisant la rondelle ou en la dégageant. Du point de vue de l'offensive, les attaquants peuvent patiner à pleine vitesse et risquer le hors-jeu en sachant qu'ils remporteront la mise au jeu. Gagner des mises au jeu dans la zone de votre adversaire peut mener à des buts rapides.

Tous les joueurs devraient apprendre à faire une mise au jeu. Vous ne savez jamais quand on fera appel à vous. Même si vous ne l'avez pas fait souvent, vous pouvez vous assurer de ne pas la perdre. En attaquant le bâton de l'adversaire, ou en bloquant la rondelle avec le patin, n'importe qui peut éviter de perdre la plupart des mises au jeu. Dans votre zone propre, ne quittez pas l'adversaire jusqu'à ce que votre équipe soit en possession de la rondelle.

Le truc avec les mises au jeu est d'étudier le comportement des arbitres et des centres de l'équipe adverse. Comment le juge de ligne laisse-t-il tomber la rondelle ? Tombe-t-elle à plat ? Rebondit-elle ? Qu'est-ce que votre adversaire tente de faire ? Que voulez-vous faire ?

Ne vous engagez pas dans une mise au jeu avant d'être fin prêt. Respirez à fond, jetez un coup d'œil à vos coéquipiers, placez votre bâton sur le bord du cercle et regardez la main de l'officiel...

Ce qu'il faut faire

Chaque mise au jeu est différente. Tout dépend de la situation et de l'endroit où la mise au jeu a lieu. Près du but de l'adversaire, soyez plus agressif. Dans votre propre zone, assurez-vous de ne pas la perdre.

1. Placez votre bâton légèrement sur la glace au bord du cercle, en abaissant votre main inférieure d'environ 8 à 10 centimètres (3 à 4 pouces) par rapport à votre prise normale. Soyez bien équilibré sur vos deux patins, les orteils pointant devant vous. Tout en déposant votre bâton sur la glace, regardez d'abord les pieds de votre adversaire, puis ensuite l'arbitre.

2. Observez les centres opposés et les arbitres. L'arbitre recule-t-il son patin tout juste avant de laisser tomber la rondelle ? L'adversaire triche-t-il avec ses pieds ? Ses pieds peuvent vous renseigner. Par exemple, si votre adversaire a un tir possible de l'endroit de la palette vers votre but et que son pied extérieur est vers l'avant, il pourrait lancer dès la mise au jeu. Il s'agit alors de bloquer son bâton.

Gagner les mises au jeu

Nicholas, le centre de l'équipe qui reçoit, jette un coup d'œil aux pieds de son adversaire. Il n'y a pas d'indice pour lui cette fois.

Une fois qu'il s'engage à fond dans la mise au jeu, il doit se concentrer exclusivement sur la main de l'arbitre.

3. Si votre adversaire est plus rapide et que vous devez attaquer le bâton, portez votre attention sur un point à environ 10 centimètres (4 pouces) à partir du bas de son bâton. Soulevez-le et tentez d'atteindre la rondelle avec votre bâton en premier, ou utilisez vos patins avec la rondelle. Si vous perdez, restez avec l'adversaire. Soyez prêt à soulever le bâton de votre rival lorsque la rondelle va dans sa direction.

4. Vous ne devez pas toujours utiliser votre bâton pour maîtriser la rondelle. Vous pouvez attaquer le bâton de votre adversaire, positionner votre corps de façon avantageuse et refiler la rondelle à votre défenseur avec le patin. Vous pouvez aussi immobiliser un adversaire jusqu'à ce que des renforts arrivent.

Prenez les commandes

Soyez un entraîneur dans le cercle des mises au jeu. Dans votre propre zone, laissez savoir à votre gardien si vous avez l'intention de diriger la rondelle vers votre filet. Jetez un coup d'œil à l'équipement de votre gardien. Les courroies dans le bas de ses jambières sont-elles lâches?

Adoptez une prise plus basse sur votre bâton vous rendra plus rapide lorsque viendra le temps de dégainer.

Soyez positif. Sachez ce que vous allez faire. Dans votre zone défensive, il est plus important de ne pas perdre la mise en jeu que de la gagner proprement. Pour éviter de la perdre, soulevez le bâton de votre adversaire et avancez vers lui. Maniez la rondelle avec vos patins. Restez avec votre adversaire jusqu'à ce que votre équipe obtienne la rondelle.

Si vous gagnez, patinez vers l'extérieur en contournant le centre adverse, dirigez-vous vers le centre avec votre bâton sur la glace et surveillez la passe menant à une échappée.

Nicholas gagne la mise au jeu avec un simple mouvement de la main avant, déplaçant ensuite son patin gauche pour protéger la rondelle.

Mais Antoine s'adapte. Il soulève le bâton de Nicholas, et la rondelle est de nouveau libre. Qui l'emportera?

Les aspects clés

Liste de choses à vérifier – mise au jeu

- Une fois dans le cercle, jetez un coup d'œil à vos coéquipiers avant de vous engager dans la mise au jeu. Déplacez-les si nécessaire. Vous êtes aux commandes.
- Sachez ce que vous allez faire.
- Tenez votre bâton normalement. Une main inférieure inversée dévoilera vos intentions.
- Votre adversaire triche-t-il? Vérifiez si son bâton est abaissé, ou s'il a un patin vers l'avant. Si oui, reculez.
- Observez la main de l'arbitre.

« C'est en jouant avec de grands vétérans que j'ai appris la constance. Tous les jours ils sont prêts autant pour les exercices que pour les parties. »

CHRIS PRONGER

DÉFENSIVE

IL EST AMUSANT DE MARQUER DES BUTS.
Certains joueurs peuvent même en marquer sans
aide. Mais pour gagner des parties, votre équipe
doit empêcher vos adversaires de marquer. Vous avez besoin de
plusieurs techniques différentes pour jouer au hockey de façon
défensive. Vos propres techniques défensives s'ajoutent à celles
de l'équipe dans son ensemble, car bien qu'il soit possible pour
un joueur de marquer sans aide, aucun joueur ne peut à lui
seul empêcher l'équipe adverse de marquer. Les six joueurs de
l'équipe qui n'ont pas possession de la rondelle sont tous des
défenseurs.

Première règle : les cinq patineurs doivent travailler ensemble. Apprendre des techniques défensives fera de vous un joueur
de hockey plus complet et de votre équipe une meilleure équipe.
Tous les joueurs ne sont pas des marqueurs, mais chacun peut
apprendre à devenir défenseur.

Votre équipe doit faire trois choses lorsque l'équipe adverse a la maîtrise de la rondelle, et vous pouvez utiliser trois techniques pour récupérer la rondelle. Trois choses que l'équipe doit faire, trois choses que vous pouvez faire.

En tant qu'équipe, vous devez :

1. Protéger le couloir central. Le chemin le plus court pour atteindre le filet de votre équipe est la ligne droite qui passe par le centre de la glace. Si vous pouvez faire en sorte que vos adversaires soient à l'écart du centre, le long des bandes, alors leurs chances de marquer en seront diminuées.

2. Limiter le temps et l'espace disponibles de votre adversaire. Plus vite vous pouvez rejoindre le porteur de la rondelle, moins de temps et d'espace il aura pour faire un jeu. Sachez qui vous devez surveiller, et restez à une ou deux longueurs de bâton, même s'il n'a pas possession de la rondelle.

Défensive d'équipe

Alignez votre épaule extérieure avec l'épaule intérieure du tireur. Ne bloquez pas la vue du gardien.

Regardez la rondelle, et suivez la trace du joueur à surveiller avec votre bâton. Demeurez à une ou deux longueurs de bâton.

3. Empêcher vos adversaires de marquer. Vos adversaires ont de meilleures chances de marquer quand ils se trouvent dans la zone défensive de votre équipe. Demeurez à une ou deux longueurs de bâton du joueur que vous couvrez. Tenez-vous entre ce joueur et le filet dans votre zone défensive, et entre ce joueur et la rondelle ailleurs sur la glace.

Une bonne défensive s'avère payante lorsque votre équipe reprend la maîtrise de la rondelle. Le changement entre l'offensive et la défensive se fait rapidement au hockey. La transition entre la fonction de surveillant et celle de capteur de passe peut se produire en un instant. Apprenez à prévoir ces changements et réagissez en vitesse.

DÉFENSIVE
techniques individuelles

SELON LA SITUATION, vous avez besoin de trois techniques pour enlever la rondelle au joueur adverse. Dans quelle zone êtes-vous ? Le porteur de la rondelle est-il le joueur que vous surveillez ? Êtes-vous seul ou y a-t-il de l'aide tout près ? Le porteur de la rondelle s'en vient-il vers vous, ou devez-vous le poursuivre pour atteindre la rondelle ? Les trois techniques dont vous avez besoin sont les suivantes :

■ **CONTACT PHYSIQUE :** le joueur qui a la rondelle peut être stoppé grâce à un contact physique – pas une mise en échec, mais d'autres formes de contact, comme le fait de bloquer le couloir du porteur de la rondelle.

■ **ÉCHEC AVEC LE BÂTON :** ou vous pouvez retirer la rondelle au porteur en faisant échec avec le bâton. Il y a plusieurs façons de procéder, et vous pouvez tout autant soulever son bâton que balayer la rondelle loin du porteur avec le vôtre.

■ **POSITION ET ANGLE :** ou vous pouvez vous approcher de l'adversaire porteur de rondelle d'une façon qui l'oblige en quelque sorte à faire ce que vous voulez qu'il fasse. Autrement dit, vous décidez où vous voulez que votre adversaire aille avec la rondelle et vous vous positionnez du côté où vous ne voulez pas qu'il aille.

C'est ce qu'on appelle la position et l'angle. Il s'agit de voir si votre adversaire a la maîtrise de la rondelle, et d'y réagir en faisant faire au joueur ce que vous voulez qu'il fasse.

Comment faire

Tôt ou tard, particulièrement si vous êtes dans votre propre zone et êtes positionné entre le joueur que vous devez couvrir et votre but, le porteur de rondelle adverse devra s'approcher de vous. Pour éloigner la rondelle de votre adversaire, les contacts physiques et l'échec avec le bâton peuvent être utilisés de près.

Mais qu'arrive-t-il si l'autre équipe a la maîtrise de la rondelle et que les joueurs ne s'approchent pas de vous ? (C'est habituellement le cas lorsque la rondelle est dans leur zone.) Si vous êtes le défenseur le plus près de la rondelle, la position et l'angle vous aideront à attaquer le porteur de la rondelle.

Position

Votre position est l'endroit où vous devriez être sur la glace. Dans votre propre zone par exemple, vous devez vous poster entre le joueur et le but.

Position et angle

Le joueur en échec avant distingue bien le numéro du porteur de la rondelle. Cela signifie attaquer, poursuivre la rondelle.

Le défenseur contrôle la rondelle et doit jouer la passe.

C O N S E I L

Ayez toujours un plan lorsque vous tentez d'aller chercher la rondelle. N'approchez jamais le porteur de la rondelle en avançant directement en face de lui. Approchez la rondelle à partir d'un angle.

Angle

L'angle d'attaque par rapport au porteur du disque est la direction que vous choisissez pour forcer le joueur adverse à faire ce que vous souhaitez. Si vous choisissez un angle qui va du milieu de la glace vers la bande durant l'échec avant, vous forcez le joueur à passer la rondelle le long de la rampe. Le coéquipier qui vous suit peut alors deviner la trajectoire de la rondelle et aller se placer pour l'intercepter.

Analysez le jeu et réagissez. Vous devez analyser à quel point votre adversaire maîtrise la rondelle et ensuite réagir. Vos coéquipiers doivent analyser vos mouvements et réagir de façon à prendre l'avantage.

Si vous voyez l'écusson de l'adversaire, alors il a probablement une bonne maîtrise de la rondelle. Il vous faudra alors fermer le jeu en tenant votre position. Enlevez-lui le meilleur choix de jeu – qui est habituellement la passe vers le centre. Choisissez un angle d'attaque vers le porteur de la rondelle depuis le milieu de la glace.

En échec avant, si le porteur de la rondelle ne fait pas de passe, alors il faut l'obliger à retourner derrière son filet en l'attaquant depuis l'extérieur. Cela donne du temps à vos coéquipiers de surveiller leurs joueurs, rendant une passe efficace encore plus difficile à faire pour votre adversaire.

Si vous voyez le numéro de votre adversaire, c'est qu'il n'a pas encore la maîtrise. Appliquez de la pression sur lui. Tentez d'atteindre la rondelle. C'est votre chance d'en prendre possession.

Cette règle « écusson de l'équipe – numéro de l'adversaire » s'applique toujours en échec avant dans la zone offensive, et également au cours de plusieurs un « contre un » dans la zone défensive (par exemple, lorsque vous approchez un joueur d'attaque

Le joueur en échec avant profondément dans la zone offensive bloque le couloir central. Le défenseur doit faire une passe par la bande.

Le deuxième joueur en échec avant devine la passe et réagit en se dirigeant vers la bande.

Position et angle

adverse qui a la rondelle dans un coin de votre zone). La position et l'angle vous permettent de décider ce que le porteur de la rondelle peut faire, afin que votre équipe puisse en profiter.

Dans cette phase du jeu, le travail en équipe est fondamental. Le deuxième joueur en échec avant doit être conscient de ce que son coéquipier tente de provoquer comme passe de l'adversaire et se diriger rapidement là où la rondelle devrait aboutir. Si le premier joueur peut s'emparer de la rondelle ou le deuxième intercepter la passe, ces deux joueurs, en travaillant ensemble, peuvent obtenir une bonne chance de marquer.

Vous êtes en échec avant et vous approchez du porteur de la rondelle, ou encore vous êtes dans votre zone et le porteur du disque se dirige vers vous. C'est le moment de vous emparer de la rondelle.

Harponnage

C'est le meilleur moyen d'agir quand le porteur du disque se dirige droit vers vous. Tenez votre bâton d'une seule main (la main haute) et allongez votre bâton vers la rondelle avec la palette à plat sur la glace. Conservez votre équilibre.

Balayage

Cette méthode est efficace quand le joueur adverse est un bon manieur et se présente devant vous ou légèrement de côté. Au lieu de harponner la rondelle directement, effectuez un balayage avec votre bâton bien bas sur la glace et frappez le bâton de l'adversaire.

Échec avec le bâton

Harponnage : attaquez directement la rondelle, la tête droite en tenant le bâton d'une seule main.

Balayage : vous couvrez plus de glace et forcez l'adversaire à abandonner la rondelle.

C O N S E I L
Attention de ne pas soulever le bâton de votre adversaire au-dessus de la taille, car c'est ainsi que plusieurs blessures dues au bâton sont causées.

Soulever le bâton

Quand vous vous approchez du porteur de la rondelle de biais ou par l'arrière, soulevez son bâton. Pour un meilleur appui, abaissez votre main inférieure. Soulevez le bâton de votre adversaire juste en haut de la palette, puis dirigez-vous vers le disque et récupérez-le avec la lame de votre patin arrière.

Presser le bâton

C'est la manœuvre opposée. Utilisez votre bâton pour abaisser celui de l'adversaire. Posez votre bâton là où la palette rejoint le manche.

Il est possible que les mises en échec soient interdites au niveau où vous jouez, mais quand vous mettez 10 joueurs dans un espace restreint qui courent tous après la rondelle, il se produit inévitablement des contacts physiques. L'aptitude à entrer en contact physique avec l'adversaire de façon tout à fait réglementaire est fondamentale au hockey. Et puis, c'est un bon moyen de vous préparer aux mises en échec qui seront autorisées quand vous jouerez au niveau supérieur.

Bloquer le couloir

Il est permis au défenseur de bloquer le chemin du porteur de la rondelle s'il s'est installé dans son couloir en premier. Ce sera illégal si vous rentrez dans son couloir.

Dans votre zone, votre première mission est de vous poster entre le filet et le joueur adverse. Si celui-ci a la rondelle et que

CONSEIL

Il est important d'apprendre à neutraliser les joueurs adverses sans avoir à les frapper, peu importe à quel niveau vous jouez. C'est souvent la qualité du jeu défensif d'un joueur qui lui fait gravir des échelons.

Le joueur défensif peut tout simplement en patinant écarter le joueur offensif de la rondelle et en prendre le contrôle.

S'appuyer contre le porteur du disque le long de la rampe est permis...

...et aussi de s'interposer entre l'adversaire et la rondelle.

Contact physique

vous êtes en position, vous fermez le couloir. Ce n'est pas facile à faire, mais fermer le couloir fera de vous un bon joueur défensif.

S'appuyer contre le porteur de la rondelle

Si vous allez dans la même direction que le porteur du disque, vous pouvez vous appuyer contre lui. Vous pouvez même réussir à le faire changer de direction. Bougez les pieds continuellement pour rester à sa hauteur. Pour éviter toute infraction, n'accrochez pas ou ne retenez pas l'adversaire.

Quand toute mise en échec est interdite, vous ne pouvez projeter le joueur adverse sur la rampe. En fait, le seul joueur que vous avez le droit de freiner, c'est le porteur du disque.

MATTIAS OHLUND

Toutes les actions où les bâtons se touchent peuvent s'avérer dangereuses. Vous êtes le seul à blâmer pour tous les dommages que votre bâton pourrait causer alors que vous ne maniez pas la rondelle. Soyez prudent. Votre bâton est plus utile sur la glace.

- Votre bâton ne doit jamais être porté haut dans les airs. La rondelle se déplace sur la glace ; vous ne pouvez pas l'atteindre si votre bâton est dans les airs, mais vous pouvez blesser quelqu'un sérieusement.

- N'utilisez jamais le bout de votre bâton sur un adversaire.

- Ne poussez jamais un adversaire par-derrière le long des bandes. Tenez-vous à une distance sécuritaire de 1,2 mètre (4 pieds) des bandes.

Un bâton élevé cause du tort à votre adversaire, à votre équipe ou aux deux à la fois. Ne prenez pas de risque.

Une frappe avec le bout du bâton est un coup vicieux qui peut être très coûteux en raison des punitions.

Frapper votre adversaire par-derrière peut le paralyser pour la vie.

Les choses à ne pas faire en défensive

- Ne frappez jamais un adversaire dans la zone sécuritaire à moins de 1,2 mètre (4 pieds) des bandes. Jouez la rondelle le long des bandes, et non le joueur.

« J'aime maîtriser et jouer avec la rondelle. Je m'entraîne beaucoup à manier la rondelle durant les exercices, dans la rue, dans n'importe quel endroit où je peux le faire. »

MARTIN BRODEUR

GARDER LE BUT

UN GARDIEN DE BUT est une personne bien spéciale qui aime prendre les commandes. En fait, vous aimez le travail bien fait. Vous êtes le seul joueur à ne pas vouloir prendre une soirée de repos. Vous voulez être dans l'action et être prêt à apprendre de vos erreurs. Vous devez également maîtriser vos émotions.

Assumer la responsabilité signifie que vous ne devez jamais blâmer les autres pour les buts que vous accordez. Offrez toujours votre soutien à la défensive – surtout lorsque les joueurs connaissent une mauvaise partie. Votre travail consiste à corriger les erreurs de vos coéquipiers en effectuant les arrêts.

C'est ce qui fait que le gardien de but est le joueur le plus important d'une équipe. Mais vous savez déjà ça. C'est pourquoi vous êtes gardien de but.

QUAND IL FAIT FACE au tireur, le gardien couvre la plus grande partie du filet. Se trouver sur la trajectoire que la rondelle doit suivre pour pénétrer au centre du but s'appelle «jouer les angles».

La position est essentielle pour le gardien. Les meilleurs gardiens semblent bouger très peu, on dirait qu'ils attirent la rondelle. Les gardiens qui se font souvent frapper par la rondelle jouent bien leurs angles.

Jouer les angles comporte deux aspects: les mouvements latéraux et les déplacements vers l'avant ou l'arrière.

Tous les joueurs apprennent à se déplacer vers l'avant, vers l'arrière et de côté, mais les gardiens doivent faire tout ça sans quitter leur position. En tant que gardien, vous devez vous avancer sans bouger les bras et les épaules, reculer sans balancer les hanches et vous déplacer de côté sans trop écarter les jambières. Vous devez apprendre à vous déplacer dans n'importe quelle direction sans soulever de la glace la lame de votre bâton.

La clé est de conserver votre position. Rien n'est facile, mais pouvoir vous déplacer devant votre filet en demeurant en face d'un tireur sans quitter votre position fera de vous un gardien fiable. Ayez bien conscience de la sensation lorsque votre bâton est à plat sur la glace. La plupart des buts sont marqués lorsque les gardiens ne sont plus dans leurs positions.

angles et déplacements
GARDER LE BUT

Le gardien de but est le joueur le plus important de son équipe. Aucune autre position ne requiert une aussi bonne analyse du jeu et un réaction aussi rapide. Pour le gardien, le jeu de pieds, le contrôle des carres et l'agilité sont fondamentaux. Comme gardien, vous pouvez avoir recours à plusieurs styles, mais peu importe votre choix, voici quelques techniques à maîtriser.

Positionnement

Vous ne pouvez stopper la rondelle si vous êtes au mauvais endroit. Le positionnement comporte trois aspects :

■ Votre angle, ce qui veut dire vous trouver sur la trajectoire qui mène de la rondelle au centre du filet.
■ Votre distance par rapport au filet sur cette ligne.
■ Votre équilibre.

CONSEIL DE LA LNH

« Les déplacements et le jeu de pieds sont la clé du succès dans le positionnement. Exercez-vous à bouger d'un poteau à l'autre, puis en avant sur la ligne de tir et vers l'arrière ensuite. Faites-le chaque fois que vous êtes sur la glace. »

ROBERTO LUONGO

Michel est sur la trajectoire de la rondelle. Il peut arrêter tout tir vers le filet.

En traçant un C dans la glace avec la carre avant de son patin droit, il revient vers l'intérieur du filet.

À partir du poteau où il est revenu, Michel se déplace vers sa droite en effectuant une poussée en T.

Jeu de pieds du gardien

Chacun de ces aspects est important, mais le plus vital, c'est l'angle. Même si vous avez une bonne main comme on dit, elle est complètement inutile si vous ne pouvez rejoindre la rondelle.

Une fois installé sur la ligne de tir, vous avancez ou reculez en fonction de la position du tireur. Pour les tirs de la pointe, avancez-vous à la limite de votre zone réservée. Au fur et à mesure que le tireur avance vers vous, retirez-vous dans le filet pour neutraliser toute feinte.

Même les adeptes du style papillon passent la plus grande partie du temps sur leurs pieds. Tenez-vous sur l'avant de vos carres intérieures et maintenez l'équilibre. Quand vous reculez, pliez bien les genoux pour que la palette de votre bâton demeure bien à plat sur la glace. Pour les déplacements latéraux, la largeur de vos pieds doit dépasser celle de vos épaules.

« Avant de harponner la rondelle, vous devez savoir si l'avant vous regarde ou non. Si l'attaquant regarde la rondelle, alors c'est un bon moment pour le faire. »

EVGENI NABOKOV

Mais que faire si la rondelle se déplace latéralement?

Vous devez bouger avec elle. Il y a quatre façons de se déplacer entre les poteaux du but: deux mouvements se font debout et deux autres sur la glace. Quand on se déplace debout, on utilise généralement la poussée en T ou les pas de côté. Demeurez debout quand la rondelle est encore à l'extérieur du point de mise en jeu. Plus le tireur ou la passe devant le but sont proches, plus vous devez vous déplacer rapidement. C'est le moment de glisser sur la glace.

La poussée en T

Le moyen le plus facile pour se déplacer latéralement est la poussée en T. Pointez votre patin dans la direction choisie et effectuez une poussée avec le devant de la carre intérieure de l'autre patin. Transférez votre poids sur le patin qui glisse. Gardez les genoux pliés, ce qui vous permettra de conserver votre position de base, de produire une meilleure extension et de maintenir la palette du bâton sur la glace. Cela vous permettra aussi d'arrêter exactement là où vous le

CONSEIL

L'attaquant a décidé de vous déjouer et vous avez allongé votre jambière sur la glace du côté qu'il a choisi. Relevez légèrement cette jambière. Il sera plus difficile pour l'attaquant de soulever la rondelle au-dessus de la jambière et il en résulte souvent un rebond vers l'extérieur.

Michel exécute une poussée en T vers le côté de son bâton. La jambe d'attaque est tournée, pointant dans la direction désirée.

Pas de côté. Ici Michel effectue de grands pas de côté tout en conservant sa position de base.

La palette du bâton ne quitte pas la glace. Un pas de plus et il a rejoint le poteau opposé.

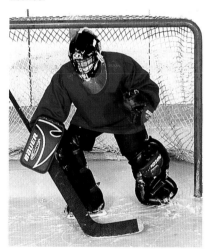

Se déplacer debout

désirez. Apprenez à vous rendre d'un poteau à l'autre en effectuant une seule poussée.

Les pas de côté

Quand le disque est près de vous, faites des petits pas de côté. Ils vous permettront de conserver votre position de base durant tout le déplacement. Les patins pointent vers l'avant. Faites un petit pas avec un patin, puis ramenez l'autre patin vers le premier. Répétez autant de fois qu'il le faut. Gardez les genoux bien fléchis. Demeurez en ligne avec le disque.

Quand la rondelle passe devant le filet, vous devez glisser rapidement d'un poteau à l'autre. Il y a deux techniques. En superposant les deux jambières ou en exécutant une manœuvre de papillon. Quand le mouvement est complété, le bas du filet est à peu près fermé.

Jambières jointes

Joindre ses jambières est une bon moyen de contrer une passe vers le côté ouvert du filet. Le receveur de la passe fera face à un véritable mur de jambières. Ce sera un arrêt déterminant.

La technique

Le déplacement commence par une poussée en T effectuée avec le devant de la carre intérieure du patin arrière. Pliez les deux genoux pour que la jambière de votre jambe arrière soit sur la glace au moment où le haut de votre corps penche vers l'arrière. Pliez la jambe avant et étendez-la à travers l'embouchure du but. Quand le genou et la hanche arrière se posent sur la glace, glissez la

Glissades

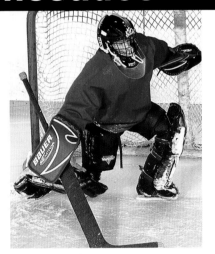

Michel amorce le mouvement par une poussée en T, étirant complètement sa jambe arrière.

Les genoux sont pliés et la jambière arrière glisse sous le corps.

Les deux jambières sont superposées. Le gant est au-dessus pour donner plus de hauteur au mur. Le bâton est sur la glace pour intercepter une passe en cas de retour.

jambière arrière sur la glace pour qu'elle s'installe sous la jambière avant.

À la fin du mouvement, les deux jambières devraient être superposées. La jambière du haut devrait être légèrement en avant pour stopper un tir montant ou dévié.

Complétez le mouvement en plaçant votre bras au-dessus des jambières pour dresser un mur plus efficace. Si c'est du côté de la mitaine, vous êtes prêt à capter un tir dirigé plus haut que le mur.

Si c'est la main qui tient le bouclier, vous disposez d'une surface supplémentaire de 480 cm² (75 po²) pour stopper la rondelle. Étendez la main inférieure droit devant le corps le long de la glace pour intercepter un rebond ou une passe.

Glissade en papillon

Ce ne sont pas tous les jeunes gardiens qui peuvent effectuer une glissade en papillon, car il faut de la force et de la flexibilité. Plus vous êtes corpulent, plus ce mouvement est efficace. Mais si vous êtes capable de réussir cette glissade, c'est un bon moyen de vous déplacer dans l'embouchure en un seul mouvement. De plus, vous pouvez conservez vos yeux sur le disque beaucoup plus facilement que lorsque vous collez vos jambières.

La technique

Comme dans la poussée en T, votre patin arrière est parallèle à votre corps. Étirez la jambe dans la direction souhaitée et donnez une forte poussée avec le devant de votre patin arrière. Abaissez

CONSEIL
Gardez le haut du corps droit quand vous glissez en papillon. Vous vous jetez sur la glace et donc découvrez le haut du filet. En gardant le corps droit, vous fermez en partie le haut du but.

Donnez une forte poussée à partir du poteau en gardant la jambière avant en ligne avec le tireur.

Les deux jambières de Michel sont presque à plat sur la glace, fermant les ouvertures sauf une...

...qu'il referme en ramenant la jambière arrière. Il demeure compact et le haut du corps droit.

Glissades

rapidement votre jambière avant et glissez vers le poteau opposé. Ramenez le plus rapidement possible la jambe arrière pour fermer l'ouverture entre les jambières.

Le truc, c'est de demeurer compact. Pressez vos bras le long du corps et fermez l'ouverture entre les jambières. Terminez en posant la palette de votre bâton devant cette ouverture ou avancez le bâton pour couvrir une plus grande surface.

La règle du surnombre

Quand l'adversaire traverse la ligne bleue, vérifiez si votre défensive fait face à un surnombre.

Dans une situation de deux contre deux ou trois contre trois, avancez-vous à la limite de votre zone et faites face au porteur du disque. Quand on joue à forces égales dans votre zone, les possibilités de passe diminuent.

Si l'adversaire est en surnombre, anticipez la passe. Demeurez à l'intérieur de votre zone.

Une attention constante

Demeurez attentif en bougeant pour suivre la rondelle, même si elle est à l'autre extrémité de la glace. Déplacez-vous latéralement, et aussi en avant ou en arrière. Imaginez que vous êtes relié au disque par un lien invisible. Certains gardiens se concentrent sur la rondelle même durant les arrêts de jeu.

Dans votre zone

Deux contre un. Préoccupez-vous du tireur, mais attendez-vous à une passe. Ne sortez pas trop du filet.

Avant de sortir du filet, soyez certain que la rondelle fera le tour de la rampe.

Sortez de votre zone en position accroupie ou en position de base quand l'adversaire traverse la ligne rouge avec la rondelle. Mais il ne faut pas vous installer dans cette position. Attendez encore un peu.

Surveillez l'attaquant pour voir s'il tente de lancer la rondelle le long de la rampe dès qu'il a dépassé la ligne rouge. C'est seulement si vous anticipez cette tactique que vous pourrez vous rendre derrière votre filet assez rapidement pour intercepter la rondelle et la remettre à l'un de vos défenseurs.

Les tirs le long de la rampe

L'attaque adverse peut mourir dans l'œuf si vous réagissez rapidement quand l'attaquant lance la rondelle dans le fond de votre zone.

Essayez d'intercepter le disque en patinant derrière votre filet du
côté d'où vient le dégagement. Revenez du même côté, de façon à
éviter d'entrer en collision avec vos défenseurs.

Pendant que vous tournez vers l'arrière du filet, ne perdez pas le
disque de vue. Si la glace est en mauvais état près de la bande, la
rondelle peut dévier vers l'avant du but. Soyez prudent.

Regardez des deux côtés en vous dirigeant vers l'arrière du but.
Si un adversaire semble se diriger vers vous, faites le jeu vous-
même. Lancez le disque vers la baie vitrée le plus haut possible.

Pour intercepter la rondelle du côté du bâton, faites face à
la rampe et stoppez la rondelle avec l'arrière de la palette.

Il est plus facile de fermer l'arrière du but du côté de la mitaine.
De ce côté, vous pouvez presser votre corps contre la rampe et

C O N S E I L

Quand vous n'êtes pas dans le filet
durant un exercice, patinez toujours
avec une rondelle. Répétez les mêmes
techniques de maniement du bâton
et de la rondelle que tous les autres
joueurs.

Rondelle sur la glace du côté droit : le
gardien de but droitier l'intercepte avec
son bâton.

Rondelle haute le long de la rampe :
appuyez le haut du corps contre la rampe
pour bloquer la rondelle.

Rondelle du côté gauche : facile pour un
gardien droitier. Dégagez la rondelle de
la rampe.

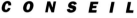

Le long de la rampe

utiliser le bout de la palette pour récupérer la rondelle. Gardez-la à
30 centimètres (12 po) de la rampe.

Avertissement : soyez absolument certain que la rondelle va
faire le tour de la rampe avant de quitter votre filet. Ne soyez pas
téméraire en sortant trop rapidement. Il est préférable de rater
la rondelle derrière le but que de voir un adversaire se présenter
devant un filet déserté.

Deux contre un

Prévenez vos défenseurs : «deux contre un!»

Deux choses peuvent se produire. Le porteur de la rondelle passera ou lancera. Vous êtes responsable du tir. C'est le défenseur qui s'occupe de la passe. Tant mieux si vous devinez que le porteur du disque va passer. Mais tant qu'il ne l'a pas fait et qu'il se dirige vers vous, restez concentré sur lui. N'anticipez pas, tout en demeurant conscient du deuxième joueur adverse.

Réagissez dès que la passe est exécutée. Ce que vous ferez dépendra de la distance entre vous et celui qui capte la passe.

Passe éloignée: si la passe est hors de portée pour vous, effectuez une poussée en T vers l'autre côté en demeurant debout.

Passe rapprochée: si la rondelle est près de vous, tentez de dévier la passe. Sinon, collez vos jambières et effectuez une glissade vers le poteau éloigné.

Si la passe est très rapprochée, poussez avec votre jambière inférieure avant que le joueur puisse rediriger la rondelle. N'y

Contrer une poussée offensive

Lors d'un deux contre un, le gardien s'occupe du porteur du disque. La responsabilité de la passe revient au défenseur.

Au moment où la passe est effectuée, déplacez-vous latéralement et, idéalement, demeurez debout.

réfléchissez pas. Coller vos jambières doit être une réaction instinctive.

Trois contre un

Assurez-vous que c'est vraiment un trois contre un. Un de vos joueurs se replie-t-il assez rapidement pour annuler cet avantage? Sinon, criez: «trois contre un!» Demeurez profondément dans votre filet. Jouez le porteur du disque mais sans agressivité. Réagissez à la passe comme dans une situation de deux contre un et essayez toujours de rester debout.

En cas d'échappée

En situation d'échappée, c'est le porteur du disque qui subit toute la pression. Pour le gardien, l'important est de bien lire le jeu et d'avoir la bonne réaction. Un bon indice réside dans l'endroit où se trouve la rondelle. Si le porteur du disque la contrôle de côté, il y a de bonnes chances qu'il tire. Si elle est devant lui, anticipez une feinte.

En premier, pensez à un tir. Placez-vous à l'extérieur de la zone réservée au gardien bien en ligne avec la rondelle. Enlevez à l'attaquant l'option de lancer, forcez-le à tenter de vous déjouer. S'il vient de côté, plus il est près de vous, plus il faut vous préparer à un tir du poignet. Surveillez le repli du défenseur qui peut fermer un des côtés à l'attaquant.

Dès qu'il est à trois mètres (10 pi) de vous, la rondelle encore devant lui, il doit tenter de vous déjouer et vous avez l'avantage. Ne bougez pas lors de la feinte. Forcez l'attaquant à faire un geste d'un côté ou de l'autre.

Sortez bien du filet pour empêcher l'option du tir. Pas trop loin cependant, il faut être capable de revenir.

L'attaquant avance en position de tir. Ne bougez pas.

Il tente une feinte. Attendez que son choix de jeu soit évident, puis réagissez.

Échappée

Dès que l'attaquant a choisi son côté, réagissez mais sans exagération. Souvent l'adversaire cherche à glisser la rondelle entre vos deux jambières quand vous avez écarté les jambes pour vous déplacer latéralement. Maintenez la palette de votre bâton sur la glace entre les jambières. Selon votre style, utilisez votre jambière ou votre patin. Gardez votre mitaine en position au cas où l'attaquant soulèverait rapidement le disque.

Le secret pour ne pas être déjoué en bougeant latéralement consiste à placer la jambière du côté de la feinte très rapidement sur la glace. Si vous pouvez le faire puis relever un peu la jambière, c'est encore mieux. Neutraliser une échappée peut décider du match. Rien n'est plus satisfaisant.

Tirs de la pointe

La manière de jouer les tirs de la pointe dépend de la façon dont le jeu se déroule autour de vous. Vous devez jouez à l'intérieur s'il y a un attaquant à découvert à l'embouchure. Dans ce cas, vous devez être le plus près possible de ce joueur pour enrayer toute possibilité de déviation du disque.

Analysez le jeu quand l'adversaire s'est installé dans votre zone, comme dans une situation de désavantage numérique. Autant que possible, demeurez debout et laissez la rondelle vous trouver.

Mises en jeu

Soyez prêt à tout. Quelles sont les forces de votre coéquipier chargé de la mise en jeu ? L'adversaire peut-il effectuer un tir du poignet dès la mise en jeu ?

La plupart du temps, le joueur de centre va tenter de relayer la rondelle à un coéquipier posté dans la zone de tir. Sa manière de tenir son bâton peut vous en dire long sur ses intentions.

Dans votre zone

Avancez-vous bien pour faire face à un lancer de la pointe. Couvrez la plus grande partie de filet possible...

...jusqu'à ce qu'un autre attaquant surgisse près de vous. Vous devez toujours vous concentrer sur le tireur, mais en reculant légèrement vers l'intérieur du filet. Il faut empêcher cet autre joueur de s'installer derrière vous et de faire ricocher facilement la ondelle dans le filet.

- Si sa main basse est renversée, il tentera de diriger la rondelle en arrière.
- Si sa prise est normale et de son côté naturel, attendez-vous au tir.

Vérifiez bien votre équipement durant les arrêts de jeu. Assurez-vous que les courroies des jambières soient bien serrées. Dites à l'arbitre que vous n'êtes pas prêt. Surveillez le centre adverse avant que l'officiel laisse tomber la rondelle pour savoir de quel côté il tire. Entendez-vous avec votre joueur de centre avant la mise en jeu. Puis concentrez-vous entièrement sur la rondelle.

Contournement du filet

Quand un joueur adverse contrôle la rondelle derrière le but, ne quittez pas votre position de base. Ne vous retournez pas. Regardez par-dessus votre épaule.

Pour vous déplacer vers l'autre poteau, effectuez une poussée en T et rentrez la pointe de votre patin avant vers l'intérieur pour que la rondelle ne puisse entrer dans le filet en ricochant sur la lame du patin. Posez votre bâton devant vous à l'extérieur du poteau et tenez la palette ouverte pour qu'elle ne soit pas parallèle à la ligne de but. Vous empêcherez ainsi le porteur du disque de se servir de cette palette pour dévier la rondelle dans le but. Quand la palette a complètement dépassé le poteau, placez-la directement face au porteur du disque.

Durant votre mouvement latéral, la palette doit être devant vous. Vous pouvez empêcher une passe juste en déposant la palette à l'extérieur du poteau avant que vous ne l'ayez rejoint.

CONSEIL
Ne quittez pas le poteau avant d'avoir perdu de vue la rondelle qui passe devant vous.

Mathieu attend, la lame de son patin bien pressée contre le poteau, alors que Guillaume surgit de l'arrière. Il n'a aucune chance...

Il fait donc une autre tentative de l'autre côté, mais Mathieu est déjà là, prêt à harponner la rondelle.

Dans votre zone

Aide-mémoire pour le jeu dans votre zone

- Si vous perdez la rondelle de vue, accroupissez-vous. Vous verrez mieux entre les jambes qu'entre les corps.
- Quand votre équipe perd la mise en jeu, avancez-vous légèrement dans la direction du porteur du disque à moins que le centre adverse ne tire immédiatement sur vous.
- Vos coéquipiers courent-ils après la rondelle? Gardez votre calme. Ils ont besoin de vous plus que jamais.
- Remerciez vos joueurs défensifs après de beaux jeux. Personne d'autre ne les remarque.

Être un leader

Vous êtes le seul joueur dans l'équipe qui voit l'ensemble du jeu. Aidez vos joueurs quand un danger se présente ou qu'une ouverture se crée qu'ils distinguent mal. Si vous aidez votre équipe à demeurer organisée dans votre zone, cela augmentera la confiance et démontrera que vous participez activement au jeu. Souvenez-vous cependant que vous criez à travers un masque. Soyez positif et parlez simplement. Soyez en alerte mais jamais agité.

- Quand un de vos joueurs contrôle la rondelle et qu'un adversaire se dirige vers lui sans qu'il le voie, criez: «Attention!»
- Quand deux joueurs se précipitent sur un de vos coéquipiers, criez: «Ils sont deux.»
- Quand un de vos joueurs vous obstrue la vue, criez: «Bouge!»
- Criez quand votre défensive fait face à un surnombre à la ligne bleue. Par exemple: «Deux contre un!» ou «Trois contre un!»

Participer au jeu

Ne vous contentez pas d'annoncer les mauvaises nouvelles.

- Quand un de vos joueurs contrôle la rondelle et a le champ libre mais qu'il ne voit pas ce qui l'entoure, criez: «C'est ouvert!»
- Un coéquipier se replie pour récupérer une rondelle perdue en tournant le dos au jeu. S'il n'est pas menacé par un joueur adverse, crie: «Prends ton temps!»
- Souvent l'adversaire se débarrassera de la rondelle pour effectuer un changement de joueurs. Il faut que votre équipe le sache. Criez: «Changement de ligne!»
- Observez l'officiel le plus éloigné qui signale les dégagements illégaux. Criez à vos coéquipiers: «Hors jeu!» ou, plus important encore: «Allez-y!»
- Faites en sorte que votre équipe sache quand une pénalité est près d'expirer. Frappez la glace de votre bâton quand il reste cinq secondes. Criez le nom du joueur qui est le plus près du banc des pénalités.

Communication

Demeurer un gentleman

Il est aussi avantageux de bien communiquer avec les officiels. Quand ils vous complimentent après un bel arrêt, remerciez-les. Dites-leur quand vous pensez qu'ils ont pris une bonne décision. Souvent ils vous expliqueront comment ils gèrent le match et quelle liberté ils laissent aux joueurs. Ce sont des informations importantes.

Après le match, parlez avec vos adversaires. Montrez du respect et félicitez-les. De toute l'équipe, vous êtes le mieux placé pour apprécier le talent de l'adversaire. Si le match a été serré, ils méritent autant de compliments que votre équipe. Se serrer la main après un match démontre qu'on est un bon sportif.

Bon, cela va vous arriver certainement un jour ou l'autre. Vous avez bien suivi votre routine d'avant-match, fait vos exercices de visualisation, bien travaillé durant la période d'échauffement, mais quand la mise en jeu survient, vous êtes paralysé. Or, il y a des signes qui indiquent si vous n'êtes pas prêt avant que ça ne se traduise négativement sur le tableau de pointage.

Que faire

- Quand la transpiration du haut du corps refroidit, c'est que vous vous reposez depuis trop longtemps. Engueulez-vous un peu. Pas seulement en pensée, mais à voix haute. Dites-vous que vous dormez, qu'il est temps de vous réveiller. Trouvez une phrase courte en forme de motivation : « Ils n'auront rien. » ou « Réveille, ça commence. » Ce que vous dites importe peu, c'est la répétition qui est importante.
- Concentrez-vous sur le disque où qu'il soit.
- Bougez entre les tirs. Vérifiez votre équipement. Faites le tour du filet. Ne vous inquiétez pas de ce qu'on pensera. Vous aurez l'air plus idiot quand vous retirerez la rondelle du filet après un but.
- Même lors des jeux de routine, jouez la rondelle et prenez la bonne décision. Appliquez-vous à bien faire les petites choses.

CONSEIL

Ne ruminez pas le passé. Allez de l'avant. Soyez dans le présent. L'arrêt le plus important est toujours le prochain.

C'est dans la tête

Aide-mémoire d'attitude mentale

- Communiquez-vous bien avec vos défenseurs ? Si vous êtes renfermé dans votre coquille, vous n'êtes pas dans le jeu.
- Jusqu'à maintenant, avez-vous été chanceux ? Rappelez-vous que les adversaires ne frapperont pas les poteaux durant tout le match.
- Savez-vous combien de temps il reste à jouer ?
- Restez-vous debout sans rien faire pendant que la rondelle est à l'autre bout de la glace ou vous tenez-vous occupé ?

Vous êtes battu

Votre manière de réagir après un but marqué contre vous peut vous améliorer ou vous anéantir. Souvenez-vous que même les meilleurs gardiens accordent en moyenne un but à tous les 10 tirs. L'idée, c'est de faire l'arrêt suivant. Il est utile de vous rappeler comment le dernier but a été marqué. Pensez un instant à la manière dont vous auriez pu réagir pour faire l'arrêt, puis oubliez tout ça.

La meilleure habitude mentale que peut développer un gardien de but est d'admettre l'erreur et de continuer. Le passé est de l'histoire, l'avenir un mystère et le présent un cadeau.

DANIEL ALFREDSSON

ÉQUIPEMENT

COMPARATIVEMENT À D'AUTRES SPORTS, le coût élevé de l'équipement reste le principal inconvénient du hockey. Il en coûte habituellement environ 500 $ pour équiper un joueur d'attaque ou de défense, et le double pour un gardien de but. Le prix élevé de l'équipement peut s'expliquer par son amélioration – tant pour la protection qu'il offre que pour sa durabilité. Et puisque l'équipement de hockey est si durable, il est sensé d'acheter la plupart des pièces d'équipement nécessaires d'occasion.

Par contre, on n'économise pas en ce qui concerne la tête et les pieds d'un joueur. Un casque protecteur mal ajusté est encore pire que d'aller tête nue, parce qu'un mauvais ajustement peut entraîner des blessures. Les patins trop grands ou trop petits ou qui ont perdu leur capacité de protéger les pieds peuvent sérieusement nuire aux pieds en croissance.

L'équipement doit faire deux choses : être de la bonne taille, et vous protéger.

Aucune pièce d'équipement ne peut vous faire abandonner le hockey plus rapidement que des patins mal ajustés. Des patins d'occasion de bonne qualité peuvent vous faire économiser de l'argent, mais seul un œil expérimenté peut en repérer des bons.

Comment acheter des patins

1. Vérifier le contrefort du talon. S'ajuste-t-il fermement au talon ? Semble-t-il solide lorsque vous appuyez dessus de l'extérieur ?

2. Acheter des patins qui vous font. N'achetez pas de patins trop grands, avec l'espoir que vos pieds grandiront. Le support interne sera inutile si deux paires de chaussettes séparent vos pieds de vos patins. (Si vous avez les pieds étroits, demandez à un cordonnier d'ajouter des renforcements pour vos chevilles.) Portez une seule paire de chaussette (plusieurs professionnels jouent pieds nus dans leurs patins pour une meilleure sensation). Placez toujours vos talons fermement en place en frappant l'arrière de la lame du patin sur une surface appropriée.

Patins et bâtons

Il n'y a rien de plus agréable que d'être prêt un peu plus tôt que nécessaire, avec de l'équipement à la bonne taille.

Nicholas vérifie le soutien offert par ses patins dans la très importante section du contrefort du talon.

Il s'assure que son talon est bien en place avant de lacer ses patins...

3. Lacez maintenant vos patins – pas trop serrés ! – et levez-vous. Il ne devrait pas y avoir plus de 6 mm (un quart de pouce) d'espace au bout de vos orteils ; vous devriez les déplacer de côté, vers le haut et vers le bas. Si votre gros orteil touche le front de la botte, essayez un autre patin un demi-point ou un point plus grand.

4. Les lames. Vous voulez que vos lames soient en acier trempé et non en acier cémenté. Posez la question. Les lames ne doivent pas être trop cambrées. Si les patins sont de la bonne taille, vous n'aurez pas à les lacer trop serré. N'entourez jamais les lacets autour des chevilles. Il n'y a que les trois premiers œillets au sommet qui doivent être serrés. Si vos pieds deviennent froids lorsque vous jouez, c'est que vos lacets sont trop serrés.

Lacer vos patins

Lacez vos patins avec le même style entrecroisé que vous utilisez pour vos chaussures. Cela permet aux lacets de bouger avec vos pieds. Ne négligez pas les œillets supérieurs. Vous avez besoin de ce soutien.

Les protecteurs de lames ne coûtent pas cher et ils sont essentiels. Ils protègent vos lames de même que le reste de votre équipement. Essuyez vos lames avec un torchon huilé après chaque utilisation. (Conservez ce torchon dans un sachet hermétique.)

Votre bâton

Aucune pièce d'équipement n'est aussi personnelle que votre bâton, et il n'a pas besoin de coûter très cher. Un peu de soin et d'attention font une grande différence quant à la façon dont votre bâton travaille pour vous.

Longueur: Si vous êtes debout et chaussé de vos patins avec votre bâton devant vous, le manche devrait être à la hauteur de votre épaule, pas plus. Il peut cependant être plus court. En général,

CONSEIL

La plupart des lames de bâtons de hockey sont si courbées que le chiffre correspondant à l'angle ne veut pas dire grand-chose. Prenez le bâton en main et placez-vous dans votre position habituelle pour patiner afin de voir s'il vous convient ou non.

...serrés mais pas trop, lacés en «X» afin que la bottine puisse plier quand il patine.

Le bâton de Nicholas est peut-être un peu long comparé à d'autres...

...mais il lui convient grâce à son angle peu prononcé et à sa lame droite.

Patins et bâtons

votre bâton devrait être aussi court que possible tant que vous pouvez l'utiliser confortablement.

Vérifications à faire sur le bâton: Examinez soigneusement votre bâton. L'usure du ruban adhésif est-elle la même sur toute la longueur inférieure de la lame?

- Si l'usure est concentrée sur le talon de la lame, utilisez un bâton plus court ou ayant un angle plus fermé.
- Si l'usure est principalement située au bout de la palette, vous pourriez avoir besoin d'un bâton plus long ou avec un angle plus ouvert. Une bonne première étape est de faire l'essai d'un bâton à angle plus ouvert et de compenser en le raccourcissant.

Casques et masques

Les casques et des masques sont mis à l'épreuve par les associations de hockey et les associations de normalisations de votre pays. Assurez-vous que ceux que vous achetez sont approuvés. Un casque muni d'une grille est préférable aux casques avec visières de plastique, car ces dernières sont difficiles à entretenir et se rayent facilement. La plupart peuvent être ajustés pour être plus confortables. Ils sont munis de pièces mobiles qui devraient être vérifiées régulièrement. Assurez-vous que toutes les vis et les attaches soient bien serrées.

Réhabiliter un casque d'occasion

Il est possible d'enlever des taches mineures et d'autres saletés en lavant le casque avec un détergent à vaisselle et en le polissant par la suite avec de la cire pour les voitures. (Pour des encoches et des égratignures plus prononcées, utilisez un poli à métal de type Brasso puis appliquez ensuite de la cire.) Assurez-vous que le rembourrage mou du casque soit intact, ou retirez-le avant de laver le casque.

Autres pièces d'équipement

Marika, qui garde les buts et qui joue aussi au centre, recherche les autocollants d'approbation sur les deux casques.

Si des culottes de hockey peuvent se tenir sans aide, alors elles sont encore bonnes.

Les protecteurs de poignet des gants et les coudières devraient se rejoindre ou se chevaucher.

Protecteurs et culottes

Assurez-vous que les pièces de plastique rigide sur les épaulettes et les coudières soient intactes, et que les attaches, comme le Velcro, n'ont rien perdu de leur efficacité.

Une erreur fréquente est d'acheter des culottes trop petites, ce qui laisse un espace non protégé au-dessus des genouillères des jambières. On peut acheter des culottes un peu plus grandes, ce qui permettra de grandir avec elles. Assurez-vous que le rembourrage protecteur et que les pièces de plastique rigide sont en bon état. Des culottes de hockey devraient pouvoir se tenir sans aide, signe qu'elles sont encore utilisables.

Lorsque vous choisirez vos gants, le protecteur de poignet devrait au minimum rejoindre la partie inférieure de votre coudière.

L'équipement d'un gardien de but est très coûteux, et il doit être parfaitement ajusté. Plusieurs gardiens choisissent de jouer à cette position solitaire parce qu'ils aiment l'équipement, ce qui fait qu'ils seront davantage portés à bien entretenir les équipements coûteux de leur métier.

Casques et masques

Un casque muni d'une grille coûte moins cher et conviendra plus facilement au niveau de la taille que les modèles ajustés en fibre de verre avec un grillage fixe, mais le masque, qui coûte bien plus cher, protège mieux la gorge et les oreilles.

Si vous utilisez un casque ou un masque, assurez-vous d'avoir une protection pour votre gorge sous forme d'un col rembourré, ou alors un protège-gorge en plastique transparent qui pend sous votre masque. Le masque doit couvrir vos oreilles.

Le masque et le protecteur de la gorge sont superposés et ne laissent aucune ouverture.

Un bouclier d'occasion fera l'affaire si la paume du gant est intacte.

Dans le cas d'une mitaine d'occasion, vérifiez la rigidité dans le pouce et la partie qui protège le poignet.

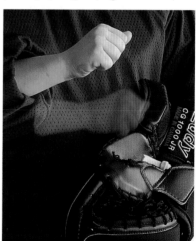

Équipement de gardien de but

Gants

Des gants d'occasion peuvent faire l'affaire, dans la mesure où le rembourrage est encore intact et qu'ils ne soient pas trop usés. Il devrait y avoir une certaine rigidité au niveau du pouce, sur le rebord extérieur et le poignet de la mitaine, et du rembourrage pour le revers de la main. Les boucliers sont de construction si solide qu'un bouclier d'occasion n'aurait probablement que la paume à refaire pour éviter que les doigts puissent en sortir. En tant que gardien, vous voulez avoir des gants aussi grands que possible, mais ceux qui sont trop grands sont une perte d'argent si vos mains sont trop petites pour les diriger.

Les jambières

Pour les gardiens, les jambières constituent le problème d'ajustement le plus important, après le casque et les patins. En règle générale, les gardiens qui restent debout utilisent des jambières plus courtes, et ceux qui exercent le style papillon ont des jambières plus longues. (Les gardiens qui préconisent le style papillon exposent une ouverture entre leurs culottes et leurs jambières.)

Votre genou devrait s'aligner avec le rouleau du milieu des trois rouleaux horizontaux sur le devant de la jambière. Si le genou est au-dessus de ce repère, alors il sera vulnérable. S'il est au-dessous de ce rouleau médian, alors les jambières sont trop longues, ce qui vous empêchera de patiner librement. La vidéo pédagogique d'Andy Moog pour les gardiens de but suggère que les jambières ne devraient pas dépasser le genou d'un joueur de plus de 15 à 20 cm (6 à 8 pouces) quand il porte des chaussures de sport.

La plupart des associations de hockey pour jeunes fournissent des jambières aux gardiens, mais elles ont souvent connu des jours

Équipement de gardien de but

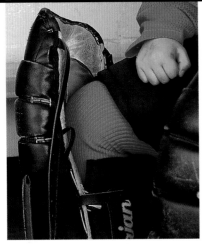

Les jambières de Mathieu lui conviennent parfaitement. Son genou se trouve au niveau du rouleau médian.

La première courroie de la jambière passe sous la bottine du patin pour une bonne protection du pied.

La plupart des gardiens portent des protections supplémentaires sur leurs genoux et sous leurs bas pour protéger leurs genoux.

meilleurs. Des jambières d'occasion, particulièrement dans les tailles plus petites, sont largement disponibles sur le marché. La plupart des gardiens portent des pièces de plastique rigide sur leurs genoux sous leurs jambières pour les protéger quand leurs genoux sont pliés. Ces pièces de plastique devraient être parfaitement ajustées en plus d'être en bon état; elles peuvent contrebalancer en partie des jambières un peu trop petites. Si une rondelle atteint votre genou et que ce dernier n'est pas protégé, elle pourrait vous blesser pour la vie.

Il est important que vos jambières couvrent l'intérieur de vos mollets; les courroies inférieures devraient passer sous la bottine de vos patins pour protéger vos pieds.

Votre équipement est très coûteux et il passe beaucoup de temps dans votre sac, alors rangez-le bien.

Prenez l'habitude de toujours procéder de la même façon : chaque chose à sa place. Ainsi, si quelque chose manque, vous le remarquerez aussitôt. Si vous rangez vos patins dans le sac, utilisez des protecteurs de lame pour protéger les autres pièces d'équipement.

Ayez toujours quelques pièces de rechange : courroies pour les patins, attaches pour le casque, ruban gommé et paire de bas supplémentaire. Un torchon huilé conservé dans un sachet hermétique est idéal pour nettoyer vos lames de patin. Luxe peu coûteux, mettez dans votre sac d'équipement une petite pièce de tapis ou de moquette que vous déposerez sur le sol devant vous. Vous aurez ainsi une stalle de vestiaire professionnel.

Bien sûr, entre les matchs, il faut sortir l'équipement du sac. Mettez-le à sécher dès que vous arrivez à la maison. Voilà une bonne

Choisissez une méthode de rangement efficace et appliquez-la.

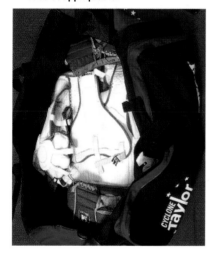

Ainsi vous saurez facilement s'il manque une pièce.

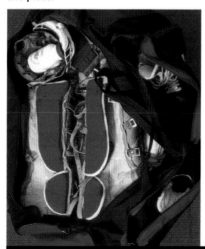

Développez de bonnes habitudes en dehors de la glace.

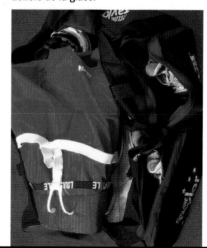

Ranger l'équipement

habitude à acquérir. Pendant que vous le faites, vous pourrez vous rappeler comment vous avez joué.

Si vous avez gagné, tentez de vous souvenir d'une leçon que vous avez apprise. Si vous avez perdu, identifiez ce que vous avez bien fait. Demandez-vous quel fut le meilleur moment. Pendant que vous disposez votre équipement pour qu'il sèche, que vous vérifiez s'il est endommagé, rappelez-vous ce bel arrêt que vous avez effectué. Accordez-vous ce qui vous revient. Soyez votre propre entraîneur.

Brad Richards a remporté le trophée Lady Byng pour son esprit sportif la même année où il a remporté la coupe Stanley et le trophée Conn Smythe.

Astuces du hockey

VOUS N'ÊTES PEUT-ÊTRE PAS le patineur le plus rapide de votre équipe. Vous n'avez peut-être pas non plus le tir le plus puissant. Vous n'êtes peut-être pas le maître des arrêts clés. Pas encore, en tout cas. Mais si vous avez gagné votre place dans l'équipe, vous pouvez faire certaines choses pour aider vos coéquipiers, qui vous aideront également à devenir le meilleur joueur de hockey possible.

Appuyez votre entraîneur. Acceptez sa décision quand il vous fait réchauffer le banc. Ne vous plaignez pas. Demandez-lui poliment et en privé pourquoi vous n'avez pas joué, et servez-vous de ses commentaires pour vous améliorer. C'est à vous de découvrir ce que votre entraîneur peut offrir. Trouvez les forces de votre entraîneur et tirez-en profit.

Parlez à l'arbitre et aux juges de ligne lors des arrêts de jeu, et serrez-leur la main en les remerciant après la partie. Les arbitres rendent le hockey possible. Pas d'arbitre, pas de partie.

Respectez-vous. Ne plongez jamais. Ne faites jamais semblant d'être blessé. Ceux qui commettent de tels gestes déshonorent le jeu en plus de se déshonorer eux-mêmes.

Respectez vos adversaires. Si vous pensez que les autres joueurs sont des perdants, où est le plaisir de les battre? C'est lorsque vous perdez le respect de l'adversaire que celui-ci se sent blessé.

Faire ces choses ne vous aidera pas à atteindre la Ligue nationale de hockey. Avec un grand talent, elles pourraient peut-être vous aider. Faites-les parce qu'elles feront de vous une meilleure personne. Ces règles de hockey sont aussi des règles de vie.

L'équipe de « *À la manière de la LNH* »

NOTRE COMITÉ CONSULTATIF D'ENTRAÎNEURS

Paul Carson, directeur du développement, Hockey Canada (Calgary)

Pat Quinn, entraîneur-chef, Équipe olympique canadienne ; deux fois récipiendaire du trophée Jack Adams en tant qu'entraîneur de l'année dans la LNH en 1979-80 et 1991-92.

Marc Crawford, entraîneur-chef des Kings de Los Angeles

Ken Hitchcock, entraîneur-chef des Blue Jackets de Columbus

Dave King, ancien entraîneur-chef des Flames de Calgary et des Blue Jackets de Columbus

Peter Twist, auteur de *Complete Conditioning for Ice Hockey* (Human Kinetics, 1997)

Terry Bangen, assistant directeur général, Tri-City Americans de la Western Hockey League

Ian Clark, entraîneur des gardiens de but, Canucks de Vancouver

Barb Aidelbaum, entraîneur international de patinage de puissance au hockey mineur et auprès de joueurs de la LNH

Jack Cummings, ancien gardien de but de la WHL ; coordinateur hockey au Hollyburn Country Club, Vancouver-Ouest, C.-B.

Bill Holowaty, troisième marqueur dans l'histoire des Thunderbirds UBC et ancien joueur dans la Ligue professionnelle du Japon avec les Lions de Siebu.

Ken Melnyk, auteur d'un manuel d'instructions pour les joueurs « tyke » et atomes du programme de hockey mineur de Delta en Colombie-Britannique.

PHOTOS

Stefan Schulhof/Schulhof Photography, excepté :
pp. iv, 20 © Scott Cunningham/Getty Images ; p. 2 © Doug Pensinger/ Getty Images ; p. 14 © Jim McIsaac/Getty Images ;
p. 40 © Jeff Vinnick/Getty Images ; p. 48 © Andy Marlin/Getty Images ;
pp. 50, 54, 66, 74 © Bruce Bennett/Getty Images

Remerciements spéciaux à Crownchild Twin Arena, de Calgary Alberta pour l'utilisation de ses équipements.